D1420591

trente siècles

sous la mer

FREDERIC DUMAS

TRENTE SIÈCLES SOUS LA MER

ÉDITIONS FAMOT

EXEMPLAIRE RÉSERVÉ

PAR FRANÇOIS BEAUVAL
A SES AMIS BIBLIOPHILES

LES MAGNONS

Au large de notre maison, un chapelet d'îles : « Les Embiers », limite la baie de Sanary. Le dernier écueil, Les Magnons, se prolonge sous l'eau par un plateau de grosses roches creusées de cavernes, coupées de failles. Les plus hautes affleurent la surface d'une eau très claire. La profondeur ne dépasse pas dix à quinze mètres.

Lorsque nous mettons nos premières lunettes pour l'eau, ces roches se transforment pour nous en un village de mérous et notre étonnement est extrême devant ces poissons d'une vingtaine de kilos installés si près de la côte, où nos lignes n'ont jamais pris que de la friture.

Des mérous sortent de leur trou, s'immobilisent sous moi et me regardent. Je ne vois que leur tête avec de chaque côté leurs grandes nageoires pectorales semblables à des ailes, tels ces petits amours simplifiés, et comme ces amours responsables du vent, ils soufflent par bouffées.

Vient la guerre, puis l'occupation. Sur notre Côte d'Azur dépourvue de ressources agricoles, nous passons de la « thalassothérapie » à la cure d'amaigrissement. Nous récoltons en familles les petites feuilles gris argenté des buissons sauvages de la falaise, devant chez nous. Bouillies, rincées et rebouillies, elles pourraient à la rigueur passer pour d'exécrables épinards.

Quand la petite bande d'amis veut se réunir, ils me demandent un mérou. Une barque est vite trouvée pour m'emmener aux Magnons.

Des mérous en promenade flânent parmi les roches, ils se tournent vers moi et me regardent, béats. Lorsque mon approche devient par trop inquiétante, ils font un bond et se remettent en position contemplative un peu plus loin. Je nage tout doucement, comme flotte un bois mort. Je profite de leur curiosité pour les tuer net, d'une flèche dans le cerveau. Je cherche la perfection du geste sans m'avouer sa cruauté, et puis ces captures ont l'apparence d'un exploit et me donnent au retour une petite gloire passagère.

Certains jours, de nombreuses castagnoles noires de la taille d'un poisson rouge adolescent, empennées d'une longue queue fourchue, se tiennent en pleine eau comme les mouches dans l'air. En quittant la surface d'un coup de reins, je déchire le voile mouvant des castagnoles, ses mailles s'éparpillent en éclatements saccadés et l'effroi se transmet à l'eau en vibrations de crainte. Ces ondes alertent le mérou qui glisse dans son trou, avalé par la roche. Mû par une curiosité plus forte que l'instinct de conservation, il se retourne dans sa caverne et vient mettre le nez à l'entrée. Parfois une fenêtre mieux placée lui permet de me regarder. Curiosité fatale.

Je connais chacun de ces gros poissons aux bons yeux de chien et peux m'offrir le luxe de choisir celui adapté au nombre d'amis du jour. Nous rassemblons nos rations individuelles d'huile et de pain, et ce poisson médiocre mais copieux nous paraît un délice. Chaque fois nous en mangeons trop.

Dès 1938, une passion commune pour la chasse sous-marine m'avait lié d'amitié avec Philippe Tailliez et Jacques Cousteau, tous deux officiers de marine. La guerre nous sépara.

En 1941, le trio se retrouve. Jacques décide de faire un film documentaire sur la chasse sous-marine et, pour filmer confortablement mes évolutions, il apporte aux Magnons la « pompe à mérou », petit compresseur bruyant, parcimonieux, pour délivrer l'air au bout d'un tuyau toujours trop court.

Dix ans plus tard, la plongée libre a cédé le pas à l'appareil respiratoire. Je travaille en compagnie des mérous dans l'abondance revenue. J'apprends à les mieux connaître et par là deviens un de leurs meilleurs amis.

Des camarades ont trouvé aux Magnons quelques amphores entières, dissimulées par une touffe de posidonies, plantes marines aux longs rubans verts.

La plupart des mérous ont été tués. Les naïfs, les hésitants, les trop curieux sont partis les premiers. Les rares survivants sont devenus très craintifs et, quand on a la chance d'en apercevoir un, c'est grâce à la persistance des images rétiniennes.

A ma grande humiliation, je vois partout des débris d'amphores dans ce terrain si souvent parcouru mon arbalète à la main. Soudées entre elles par les concrétions, les poteries font corps avec les roches, comblent les intervalles des blocs, en partie dissimulées par la mousse verte ou marron des algues. Je vois des bouts de tuyaux de plomb, des formes longues de concrétions qui cassent facilement et laissent échapper un jus noir, reste du fer disparu. Sous l'eau, plus encore que sur terre, on voit uniquement ce que l'on cherche.

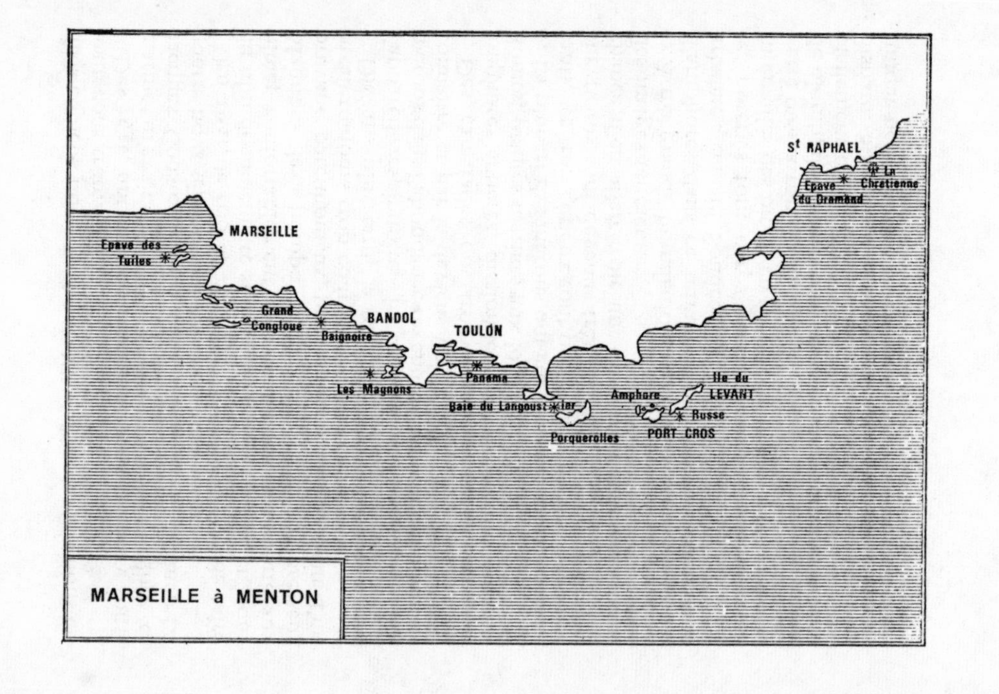
St RAPHAEL
La Chretienne
Epave du Dramont
MARSEILLE
Epave des Tuiles
Grand Congloue
Baignoire
BANDOL
TOULON
Panama
Les Magnons
Baie du Langoustier
Ile du LEVANT
Amphore
Russe
Porquerolles
PORT CROS
MARSEILLE à MENTON

L'AMPHORE DE PORT-CROS

Je trouve ma première amphore en 1939. La chasse sous-marine, encore une nouveauté, me passionne. Nus et gelés dans l'eau, nous sortons pour allumer de grands feux de bois flotté dont les flammes recroquevillent les poils de nos jambes, marbrent notre peau de plaques rouges, dans une odeur de cochon grillé.

Ce jour-là, je chasse à l'île de Port-Cros, haute, abrupte, couverte de pins et de maquis jusqu'au rivage. L'eau, plus que transparente, invisible, me donne l'impression que je vais tomber. J'incurve ma nage aux moindres contours de la côte rocheuse, sous un ciel brumeux. Eau trop pure, déserte. Arrivé dans une petite baie à fond de sable triste et nu, je survole une amphore couchée, entière, trapue, seule entre deux morceaux de poterie. Un coup de reins amène mes mains sur ses anses. Trop lourde, je ne peux la monter en surface. Lesté par l'amphore, je marche sur le fond, progression lente, coupée de remontées pour reprendre mon souffle. Avec un grand soulagement, je fais les derniers mètres la tête hors de l'eau.

L'amphore a dû frotter longtemps sur le sable et cette usure régulière a fait un trou dans son flanc, où je passe la main.

Le propriétaire de l'unique hôtel voit avec déplaisir l'amphore quitter son île. Les trouvailles archéologiques dans la mer n'ont pas encore soulevé de problème juridique. Faute de poissons, je suis heureux de ce bel objet, sans entrevoir la signification de sa présence au fond de l'eau.

Quand, par la suite, Cousteau fait bâtir une maison à Sanary, je lui donne l'amphore qu'il place sur la cheminée de son salon.

Vient la fouille de l'épave romaine du Grand Congloué, avec l'aide de Lallemand, Marseillais trapu, exubérant, fanatique amateur d'archéologie. Entrant un jour chez Cousteau, il reste pétrifié, balbutiant, devant l'amphore. J'avais trouvé intacte une de ces amphores ioniennes à la terre blanchâtre parsemée de paillettes de mica, dont il n'avait vu jusqu'ici que des morceaux ramassés dans les couches les plus profondes du sol de Marseille, datant de la fondation de la ville par les Grecs.

MAHDIA

A la suite de notre premier film, Jacques Cousteau avait créé le scaphandre autonome. En 1945, il songea à faire bénéficier la Marine nationale, dans laquelle il servait, de nos moyens de plongée nouveaux. Le ministère manquait d'enthousiasme. Jacques décrocha la décision en projetant le film où nous évoluions dans les épaves. Ainsi fut créé le Groupe de recherches sous-marines.

Philippe Tailliez, aîné de Cousteau, prit le commandement du groupe, Cousteau celui de l'*Elie-Monnier*, bateau ex-allemand équipé pour la plongée en scaphandre que j'allai chercher avec lui à Cherbourg. Jacques m'avait fait engager par la Marine, moi simple civil n'ayant jamais eu de grade dans l'armée où je servais comme muletier.

En 1948, Jacques organise une croisière d'entraînement en Tunisie. Il a su obtenir pour son bateau une mission officielle, bien que peu militaire: retrouver le port romain de Carthage, selon le désir du père Poidebar. Ce jésuite érudit, bien connu dans les milieux archéologiques, a, l'un des premiers, utilisé la photographie aérienne pour la recherche des ruines antiques et au cours de ses remarquables travaux sur les ports des anciennes Tyr et Sidon.

Jacques projette de filmer la pêche des thons dans une madrague tunisienne.

Notre enthousiasme atteint son comble quand il nous annonce des plongées sur une galère romaine découverte en 1907.

Des œuvres d'art grecques circulaient alors clandestinement en Tunisie. Les archéologues remontèrent la piste et apprirent que les scaphandriers avaient trouvé, en pêchant des éponges au large de Mahdia, un monticule de colonnes bien rangées sur le fond, avec tout un bric-à-brac d'art grec.

Grâce au concours de la Marine nationale, statues, bronzes et marbres, éléments architecturaux, furent extraits de la mer entre 1908 et 1913. Ils remplirent six salles du musée du Bardo à Tunis.

Jacques a compulsé les rapports de l'époque: une soixantaine de colonnes furent laissées en place. Fait troublant pour nous, les scaphandriers percèrent le pont de l'épave, s'enfoncèrent dans la vase et découvrirent encore des bibelots.

J'aime évoluer au-dessus des ponts délabrés des épaves modernes, m'enfoncer dans leurs cales sombres où j'ai peur, arracher leurs fanaux de cuivre. J'imagine déjà mes bras tâtonnant dans la vase à l'intérieur du bateau romain, et les merveilles que je vais toucher me rendent malheureux. Je voudrais les posséder.

Sitôt à Tunis, nous voyons des marbres partiellement rongés, mais plus frais que d'habitude, des bronzes magnifiquement conservés, ou restaurés. Des pièces d'un art très pur tranchent sur cette débauche d'œuvres décadentes, de copies. Les spécialistes situent le naufrage en 86 avant Jésus-Christ, sans l'affirmer, et attribuent cette cargaison au pillage d'Athènes par les Romains. On a même exposé des éléments du bateau: jas en plomb d'ancres en bois disparues, fragments de coques noircis et recroquevillés, clous de cuivre de tailles diverses, hameçons, vaisselle de bord. Aurai-je assez de foi en l'efficacité de nos méthodes nouvelles pour rêver aux trésors que nous allons trouver après les scaphandriers?

Le 12 juin, nous mouillons devant Salammbô où le père Poidebar a vu le port romain de Carthage sur des photographies aériennes. Vêtu de sa soutane noire, il vient à bord d'un pas décidé, comme pour prendre possession de nous. Très âgé, encore énergique et volontaire, il explique sa théorie en embrouillant ses souvenirs de ports antiques. Il attend de nous la preuve de l'existence de ce port romain dont il ne doute pas.

Je plonge avec le lieutenant de vaisseau Alinat dont la compétence et la gentillesse nous font grand plaisir. Toujours en train de travailler ou bricoler, sans se soucier de ses galons, qu'il arbore d'ailleurs rarement, il sait tout faire. Alors nous avons pris la fâcheuse tendance de lui abandonner trop de tâches rébarbatives.

Dans une eau trouble, peu profonde, les posidonies, selon leur habitude, ont formé des bosses appelées mattes et laissé de petites zones de sable. Plus loin, toujours dans peu d'eau, le fond se couvre d'une salade rappelant le cresson. Quelques cailloux d'aspect naturel, des boîtes de conserve et des bidons rouillés, des gargoulettes cassées voisinent avec des pneus, nouveaux hôtes de la mer, familiers. Ils paraissent aussi durables que les amphores.

Sur l'eau, on évalue mal les distances et il serait difficile de diriger à vue une recherche méthodique par plongeurs. Alinat saisit son cercle hydrographique, instrument analogue au sextant utilisé pour faire le point. Il va d'abord improviser une carte des lieux pour localiser les croquis et photographies du père.

Jacques fait sa tournée des visites officielles et officieuses pour lesquelles il est très doué. Il prétend ne pas aimer ces corvées mais nous ne le croyons pas.

Pendant trois jours, sous l'œil de plus en plus irrité du

père, nous fouillons consciencieusement, toutefois sans enthousiasme, cette baie trouble et monotone. Nous enfonçons nos bras dans les parois molles de mattes, nous sondons le sol avec une tige. Quand nous sentons un obstacle, nous creusons, et c'est toujours un caillou parfaitement naturel. Passionné d'explosifs, je dynamite une table rocheuse. La surface frissonne, crève en gerbe. Nous plongeons dans le nuage jaunâtre soulevé par l'explosion, ramenons de l'argile durcie couverte d'une mince couche calcifiée.

Nous sommes tous convaincus de l'inutilité de ces recherches, sauf le père qui marmonne les mêmes phrases et paraît nous en vouloir.

De la surface, une couche d'eau claire laisse voir le sommet des mattes, dont la base est cachée dans une eau trouble. Le niveau de l'eau trouble monte ou descend d'un jour à l'autre et, avec ces parois de mattes très irrégulières et en pente, un observateur aérien doit voir, selon les jours, les contours les plus divers et, avec un peu de chance, celui de la tête de Hitler ou même d'un port romain.

Si ce port a existé ici, il gît plus bas dans le sol, nos moyens ne nous permettent pas de creuser pour le déceler ou affirmer qu'il a été rêvé par le père, poursuivant en automate l'élan de sa jeunesse active.

Nous abandonnons le père Poidebar à ses chères illusions pour aller filmer la pêche des thons. Un immense filet posé en travers du rivage barre la route des migrations. Les grands poissons bleus, profilés comme des bombes d'avion, butent sur l'obstacle et cherchent leur chemin jusqu'à la « chambre de mort » où les pêcheurs les massacrent avec de longs crochets, dans une eau visqueuse de sang.

Le 20 juin, nous mouillons au large de la ville de Mahdia, sur le point donné par le rapport de fouille officiel.

Placer un bateau sur une position indiquée par des angles représente une opération laborieuse. Jacques et Alinat jouent avec leurs cercles hydrographiques, je ne

Le commandant Cousteau et une partie de son équipe,
à bord de La Calypso, *ancien dragueur de mines*
américain qui fut offert au commandant
par un mécène en 1950. Atlas-photo.

saurais les aider. Profondeur: quarante mètres. La côte, petite ligne chamois, marque à peine la limite entre la mer et le ciel. Nous sautons à l'eau sans attendre l'échelle, arrivons sur un fond sableux, ondulé de légères dunes, parsemé de maigres pousses de vie, de belles éponges. D'habitude, nous choisissons les endroits où la mer offre un spectacle particulier: roches en relief, falaise, épave. Ici, je vois le fond normal de la mer, aussi vaste qu'elle, à désespérer d'y voir une galère.

Pendant cinq jours, nous déployons les diverses ressources de l'exploration: traîneau remorqué planant près du fond, nage à la boussole, râteau de six plongeurs en vue les uns des autres. Nous explorons méthodiquement un rectangle de cent cinquante mètres sur deux cent cinquante, marqué sur le fond par des cordes tendues et des bouées numérotées. Pas d'épave, un fond plat, uni.

Jacques et Alinat se plongent dans leurs calculs, au carré, puis manient leur cercle hydrographique sur la passerelle ou braquent leurs jumelles sur le trait de la côte pour chercher des « points remarquables ». Expression consacrée.

En fin de journée, nous regagnons Mahdia. Les rues aux murs blancs, sans fenêtres, sans magasins, tournent plusieurs fois pour aboutir à des culs-de-sac. Les gosses nous suivent narquois. Derrière ces murs, des voix jeunes mais éraillées miaulent des chansons orientales. Du soleil, beaucoup de soleil.

Le père Poidebar nous visite avec des renseignements nouveaux, et pourtant la galère ne l'intéresse pas. Un brave homme! Jacques et Alinat recommencent leurs calculs. Ce mystère injuste nous préoccupe plus que les trésors, il est devenu une affaire personnelle. En bas: toujours la même solitude.

Le 25, après les discussions du déjeuner, Jacques nous fait jouer aux petits papiers. Chacun écrit secrètement son avis. On dépouille. Seule l'idée de Tailliez est retenue, suivre le seul alignement ayant résisté au temps et au crible de nos critiques: le Bordj — ancienne citadelle de Mahdia — par la ruine en forme de dent.

Pour l'exploration « au pendeur », la vedette traîne un gros poids au ras du fond. Le plongeur se tient à la corde, à la distance du fond qui lui donne la meilleure visibilité. En eau trouble, restant près du fond, il explore une bande étroite, la méthode manque d'efficacité. Ici, en eau claire, le plongeur peut s'installer assez haut et voir beaucoup d'espace. Il se contente de regarder, ceux d'en haut naviguent pour lui.

Tailliez inaugure son idée et fait bientôt surface avec des gestes joyeux, il a vu une colonne.

Je descends main sur main le long de la corde lestée qui bientôt s'anime sous la traction de la vedette. L'eau me fouette le visage et coule insistante le long de mon corps. Au loin, un gros poisson flâne au-dessus du sable. Les poissons me semblent toujours flâner, je dois mal interpréter l'aspect désœuvré de leur attitude.

Une petite colonne se détache du lointain bleuté, puis une plus longue, boursouflée d'éponges, et ces formes précises, me matérialisant les distances, élargissent mon espace visuel. J'hésite à lâcher la corde. Le fond redevient uniforme dans la brume de l'eau où se perdent mes yeux incertains. Je regrette amèrement de ne pas m'être arrêté, quand je dépasse une boîte de conserve brillante, une traînée d'ancre sur le sable, nous avons déjà mouillé ici, pensée peu encourageante. Une masse sombre, floue, se précise : je suis sur la galère !

Ma main lâche la corde, le massage de l'eau cesse immédiatement, j'évolue librement, goûte le relief de l'épave après la plaine désespérante. D'énormes colonnes couchées côte à côte en supportent de plus minces, rongées. La lumière bleutée éteint les couleurs mais les éponges rondes ou en corolles, les excroissances animales conservent leur texture suggérant un contact mou et parfois répugnant. Les mérous sortent sombres des interstices, deviennent diaphanes sur le sable et s'approchent sans crainte. Sur le relief de cette ruine, l'eau plus riche en oxygène a donné à la vie marine une vigueur inattendue dans ce désert, en a fait une oasis en vague forme de bateau. A défaut de statues, je ramasse des débris de bois mou, des clous gonflés du sable amalgamé par la corrosion du cuivre.

Jacques fait servir le champagne, hisser le grand pavois et la flamme de guerre.

Le lendemain, j'accompagne Alinat pour un croquis coté de la masse de l'épave: longue de vingt-deux mètres, large de treize. Des chapiteaux, des bases de colonnes s'en sont échappés, à moitié enfouis dans le sable, plus troués que des gruyères. Je creuse contre leur flanc, le marbre devient lisse, voilà pourquoi les statues du musée montrent des parties corrodées par la mer, d'autres intactes que le sol a protégées. A quelques mètres au-delà d'une extrémité de l'épave, deux grands jas de plomb dépassent à peine du sol. Ces ancres étaient restées à leur place de repos, le bateau n'a pas mouillé avant de couler. Près des jas, parmi les premières colonnes, une grosse pièce de bois me surprend par son aspect de fraîcheur. Ma main la suit dans l'axe du bateau, sous la vase molle, entre les masses de marbre.

Pendant cinq jours, neuf plongeurs descendent aussi souvent que le permettent les lois de la plongée (1). Un coup de fusil les rappelle, le choc sur l'eau se transmet et les fouette. La balle se freine dans un jet blanc dès le premier mètre, puis tombe inerte, de son propre poids. Chacun part avec une tâche précise que l'excitation rend difficile à respecter. Collectivement nous faisons œuvre de science, individuellement nous cherchons la statue et, peu à peu, notre mépris pour les vieux scaphandriers pêcheurs d'éponges fait place à de l'admiration.

Le mât de charge monte des colonnes, des blocs de marbre qui font pencher le bateau et crèvent la surface, plus colorés que des perroquets. Les nouveaux qui assistent à ce spectacle s'extasient, la littérature foisonne, à ce sujet, d'épithètes enthousiastes devenues des clichés. Très rapidement les couleurs s'éteignent, le bloc noircit, devient gluant et dégage longtemps une effroyable odeur. Je débite à coups de marteau une colonne fluette, crevée

1 *Voir page 237.*

de trous de dattes, coquillages délicieux, de la forme et la couleur du fruit, dissimulés en des alvéoles régulières aux parois polies. Mes camarades traitent ce marbre de pentélique et feignent le scandale.

Chez Alinat poussent constamment des idées nouvelles, il tient à les réaliser lui-même, le plus souvent avec des moyens de fortune. Cet après-midi, il attache un tuyau d'air comprimé à une puissante lance à eau, pour créer une colonne ascendante qui doit emporter la vase soulevée par le jet d'eau. Au premier essai, il creuse un tunnel sous le jas de plomb, où je passe une corde pour hisser. La lance soulève un énorme nuage de vase, les volutes entraînées en surface ne sont pas négligeables, pourtant l'opacité nous entoure. La lance se secoue, échappe pour se tortiller dans l'espace. Je la poursuis, la rattrape à mi-hauteur. Elle se débat furieusement sous la réaction du jet et m'entraîne vers la surface, en spirales dans le bleu. Je pense alors à couder le tuyau pour diriger le jet en sens inverse. Domptée, la lance me ramène à la galère. L'idée d'Alinat sera abandonnée plus tard au profit de la suceuse.

A cette lance brutale, je préfère la fouille à la main. Accroupi sur le fond, je passe les bras comme sous un tapis sous la couche de vase compacte et gluante, tâte un lit de graviers, trouve des morceaux de poterie, des fragments de bois, des éclats de marbre. Sous les graviers: un sol dur comme une terre tassée, sans espoir. Mes mains s'éraillent, poussées par le désir du contact lisse et doux d'un modelé de sculpture. Nous avons décidé de creuser une tranchée autour de l'épave, je dois prendre la lance. En tâtonnant, je trouve deux grands clous de cuivre. Où les poser dans ce noir? Ils m'aident à creuser dans le jet. Quand fatigué je sors du nuage, ils brillent comme de l'or.

Jacques, accompagné tour à tour par chacun de nous, fait son premier film en couleur. Sa passion du cinéma contribue beaucoup au succès de son œuvre. Seul à ne pas être hanté par la statue, il veut des documents visuels. Son thème: montrer le contraste entre le jour sous-marin, triste et bleu, sans ombres, et les couleurs vives qui éclatent dans le faisceau de l'éclairage électrique.

Notre corps perd son poids en plongée et nous manquons d'appui pour travailler sur le sol, aussi vais-je essayer de me tenir à un plomb de scaphandrier de dix-huit kilos. Mes oreilles s'équilibrent d'elles-mêmes à la pression et me permettent une descente rapide. A peine l'échelle lâchée, je pars comme un avion en piqué, me redresse, plane agréablement jusqu'au chantier. Posé sur le fond, ce plomb très pratique, je le perds dès que je le lâche.

Vautré dans un nuage noir, je tâte une forme ronde, rugueuse. Est-ce le cul d'une grosse jarre? Non, au toucher c'est plutôt de la pierre. Les flancs s'évasent dans le sol dur qui résiste à ma main. Remonté à court d'air, je demande à Jacques d'abandonner un moment la caméra pour examiner la chose, car lui seul décide du sort de nos trouvailles importantes. Intrigué à son tour, il est d'accord pour l'extraction. Les petits cailloux projetés par la lance picotent mes mains. Je sens une cavité se former sous l'objet, j'ai une prise, arrache une pierre de moulin à farine comme j'en verrai plus tard sur tous les bateaux antiques. Les mérous, pâles à notre arrivée, adaptent leur couleur à nos tourbillons de vase. J'éprouve maintenant beaucoup de tendresse pour ces poissons.

Le soir, je sens une douleur lancinante à l'épaule gauche, fracturée pendant l'occupation. Nous appelons « bends » ces douleurs provoquées par un dégagement gazeux dans l'organisme à la suite d'une plongée suivie d'une remontée trop rapide. Mes camarades me fourrent dans le caisson et me compriment à un kilo six. La douleur cesse, l'ennui commence. La pression est diminuée par paliers et, en une heure, je suis délivré du caisson et de la douleur. Elle reprend dans la nuit et dure quelques jours.

Souvent, en fin de plongée, je me dirige vers la grosse pièce de bois entre les colonnes, elle me fascine. J'y vois la quille, avec ses râblures contenant encore les galbords ou, en langage courant, ses entailles contenant les premières planches de la coque, mais cette structure me paraît trop complexe pour être analysée en fin de plongée, à quarante mètres. A travers une mince couche de vase, les colonnes reposent sur du bois aplati sous l'énorme poids. Il ne s'agit pas d'un pont, mes mains tâtent les membrures de la coque, il n'y a donc rien en dessous. Les pêcheurs d'éponges le savaient, ils ont conté des histoires aux archéologues. J'acquiers cette impression avec mes mains plus que mes yeux, au cours d'instants trop brefs. A cette profondeur, nous avons juste le temps d'agir suivant un programme établi à l'avance, longuement répété mentalement. Ceci fait, nous sommes hébétés. Je ne peux rien affirmer à mes camarades qui parlent d'un pont.

Les jours passent, la vase soulevée retombe sur les colonnes, le site perd son aspect vivant, devient poussiéreux, terne, sale, et notre tendresse pour ce grand bateau de commerce, voilier de haute mer, en souffre.

Nous ne parlons plus de galère. Longue et mince, légère et rapide, bateau de guerre, la galère était propulsée par un grand nombre de rameurs pendant le combat ou lorsque le vent manquait au cours d'un trajet, car elle était alors gréée d'une voile.

Le soir du 1er juillet, à regret, nous abandonnons Mahdia. Pressés par le temps, comme toujours, nous ne ramenons aucun objet d'art, mais des impressions, des idées précieuses.

LE CHAMP D'AMPHORES DE LA CHRÉTIENNE

L'année suivante, 1949, Jacques affecté au déminage du Languedoc en révolutionne la technique. Houot le remplace sur l'*Elie-Monnier*. Tailliez passe le commandement du G.E.R.S. à Rossignol.

Mahdia m'a donné envie de voir d'autres épaves antiques. Le « champ d'amphores » découvert il y a quelque temps par Broussard et Dénéréaz, du Club alpin sous-marin de Cannes, me tente beaucoup.

Le 11 août, je profite d'une mission de l'*Elie-Monnier* à Antibes pour attirer mes nouveaux camarades vers la tourelle de la Chrétienne, à Anthéor.

Je me mets à l'eau avec Devilla, notre médecin, bienveillant, humain, peu militaire, d'une structure athlétique souvent utile. Nous luttons contre le courant au-dessus d'une arête rocheuse en fort relief sur le fond. Nous arrivons, entre deux eaux, au-dessus d'une petite tache de sable où traînent quelques amphores cassées, récemment arrachées. Au ras du fond, à la limite du sable, sous nos yeux, une roche poreuse faite de concrétions extravagantes crève un champ de longues posidonies et déforme des amphores incluses, sur une trentaine de mètres, par fond de dix-huit mètres.

L'après-midi, nous rapprochons le bateau du site, tous plongent, les poteries commencent à monter.

Depuis quelque temps j'ai envie de creuser avec une suceuse, ouvrir ce sol marin si souvent survolé avec le seul contact des yeux. J'ai fait réaliser cet engin si simple: gros tuyau en caoutchouc armé où l'on envoie de l'air comprimé par un petit tuyau aboutissant à sa base. L'air remonte dans le gros tuyau, les bulles se dilatent de plus en plus et entraînent l'eau. Les écoliers diraient que l'eau, allégée par l'air dans le tuyau, monte suivant le principe des vases communicants. Il se produit une aspiration à la bouche et, en eau profonde, une suceuse avale tout. Hodges, jeune officier de marine anglais en mission d'information, se joint à Devilla et moi. Nous ne sommes pas trop de trois pour traîner l'énorme tuyau d'une flexibilité récalcitrante jusqu'aux amphores, tout en soulevant une vase blanchâtre qui doit rappeler à Hodges les brouillards de Londres. Aux derniers mètres, je serre le tuyau entre les jambes pour me tirer sur les roches avec les mains. A moitié épuisé, un peu affolé par l'eau trouble où bougent des silhouettes, j'ouvre le robinet d'air. On entend un gargouillement, le tuyau s'anime, ronronne. On y voit. Le nuage est aspiré. La bouche de la suceuse s'enfonce dans un entonnoir dont les parois de sable coulent lentement et viennent s'engouffrer avec de grosses concrétions, des algues, des anses semblables à des tibias. J'arrête Hodges qui tend un morceau trop gros pour l'appétit de la suceuse, si magnifique soit-il. Les amphores naissent du sable de plus en plus nombreuses, plus nettes, bientôt comme neuves. De petits poissons viennent picorer autour de la suceuse, puis disparaissent, aspirés. Mes camarades enlèvent les amphores dégagées. Fébrile, je jouis de manier ce cataclysme.

Au repas du soir, pendant le retour à Toulon, nous

discutons le champ d'amphores. Fort de l'expérience de Mahdia, je prétends qu'il cache un bateau. Sans le nier, mes camarades sont réticents, ils cherchent une autre explication.

Quand nous y retournons en septembre, le chantier a changé d'aspect, d'autres plongeurs ont travaillé. Des panses abandonnées masquent notre trou, je m'amuse à les empiler régulièrement dans la faille rocheuse étroite, toute proche. Je reconnaîtrai plus tard ce « mur d'amphores » sur une photographie sous-marine d'une revue spécialisée.

Petite cuvette mal définie, notre trou nourrit maintenant la suceuse avec des débris de poteries. Les gros tessons se plaquent sur la bouche, il faut les enlever à la main, d'autres passent juste, se coincent plus haut, la suceuse bouchée se remplit d'air et m'entraîne irrésistiblement en farandole vers la surface. Drôle à voir, l'incident nous fait perdre beaucoup de temps pour déboucher. Les goulots de la seconde couche sortent du sable plus régulièrement disposés, légèrement inclinés. Aucun courant n'emporte l'eau blanche qui plaque au sol, il faut soulever la suceuse pour l'aspirer. Malgré nos tractions vigoureuses, les amphores pleines de sable, coincées, ne bougent pas. En essayant de les dégager avec une barre de fer, je casse un goulot resté bouché, ma main plonge dans le vide d'une eau encore froide du dernier coup de mistral. L'amphore cassée me suggère une solution, d'ailleurs peu élégante. J'envoie Podevin, quartier-maître récemment sorti du cours de scaphandrier, et lui demande de casser à coups de pic une amphore centrale que je lui décris. Il porte un vrai scaphandre avec casque de cuivre et téléphone, il n'a pas froid. Dans l'écouteur, le son clair du pic est chaque fois suivi d'un long silence. Podevin attend la disparition du petit nuage de vase, cela n'en finit pas. Je n'aurais jamais cru une amphore si difficile à casser.

Le petit vide fait par Podevin nous permet d'arracher encore quelques pièces intactes.

Nous nettoyons les amphores sur le pont, où le soleil

retrouvé fait toujours plaisir. Parfois leur col contient encore un opercule de chaux grisâtre portant une inscription en arc de cercle, répétée deux fois en grandes lettres inconnues de nous. Nous apprendrons plus tard qu'il s'agit du nom de l'importateur de vin: M(arcus) (et) C(aius) LASS(ius), en caractères osques, encore en usage dans la région de Naples pendant la première moitié du siècle avant Jésus-Christ.

Les amphores sont toutes du même type italique, à corps cylindrique, col haut, anses droites. Nous y enfonçons la lance à incendie et faisons couler un sable vaseux mêlé de coquilles de toutes sortes que les poulpes y ont dégustées jadis. Quand le bouchon est encore étanche, il n'y a pas de sable, mais une eau sentant le moisi.

Quelques jours plus tard, nous avons limité l'appétit de la suceuse par un barreau soudé en travers de sa bouche. Le courant a répandu une couche de posidonies mortes sur le chantier, ces longs rubans marron s'accumulent à cheval sur le barreau. J'attends la catastrophe. L'usure par le flot de sable fait disparaître les plantes sans mon intervention. Par contre, le mors dans la bouche de la suceuse a trop calmé son bel enthousiasme, elle goûte du bout des lèvres. Il faut supprimer ce barreau.

Notre commandant aime donner des amphores et, comme il se fait des amis de plus en plus nombreux, nous revenons à la Chrétienne l'été suivant, à ma grande satisfaction.

La lutte avec ce magma de sable et de poteries me met aux prises avec le travail accompli par la mer depuis deux mille ans. Je veux connaître les limites de son pouvoir de dissimulation. L'énigme de ces amphores entassées régulièrement dans le sol me fait goûter pleinement le geste de creuser. Alors j'affirme que nous ne trouverons plus d'amphores intactes au fond du trou qu'en l'élargissant.

Les équipes se succèdent, travaillent à tâtons, d'une façon incohérente. Les racines de posidonies avalées avec les tessons, les concrétions, bouchent constamment la suceuse. Préoccupé par le trou, je passe mon temps à enlever les gros débris, dans le nuage où mes camarades cherchent l'amphore intacte, l'arrachent et l'emportent si son intégrité se confirme, ou me l'abandonnent cassée.

Le lendemain j'ai acquis Devilla à ma cause, il descend le premier avec Bézaudin, l'un de nos meilleurs plongeurs. Accoudé au plat-bord, la position et le rythme de leurs bulles me tiennent au courant. La suceuse se met à cracher sombre, ils font du bon travail.

Un paquet de bulles plus gros que les autres crève la surface, mes camarades émergent avec de grands gestes: « La coque, là, comme neuve! »

Une seconde équipe, déjà sur l'échelle, va continuer à dégager. Je savoure mon impatience.

Enfin mon tour arrive. Au fond du trou tapissé de sable, j'agite l'eau avec la main. Le sable s'envole. Voilà le bateau. Je sursaute, comme en apercevant soudainement dans la pénombre un animal tout proche. Je dois penser aux trois couches d'amphores péniblement enlevées, regarder les parois inclinées où les poteries pressées les unes contre les autres soutiennent le sable, pour me rassurer sur l'authenticité de cette planche trop claire. J'aspire avec la suceuse, une membrure paraît, puis la coque. La planche fait partie du vaigrage ou plancher intérieur. Ces bois me paraissent bien menus pour un bateau chargé d'une telle cargaison.

Mahdia, la Chrétienne, quelle différence! L'une à cinq kilomètres de la côte, sur un fond plat, désert, avec sa quille à peine engagée dans une mince couche de vase, l'autre enfouie de la hauteur d'un homme, dans le sable formé par les menus débris de la vie marine, intense près de la côte, et la poussière entraînée par les pluies. Pourquoi l'envahissement par le sable a-t-il respecté les dernières amphores? Ma vie me semble une phase particulière de la marche du temps, pourtant le fond de la mer continue à monter, les dernières amphores vont disparaître.

LE GRAND CONGLOUÉ

Avec le départ de Cousteau et Tailliez du G.E.R.S., l'élan des fantaisies s'est atténué peu à peu, les papiers, négligés dans l'enthousiasme du début, ont gagné du terrain. Une certaine routine s'installe.

En 1950, un mécène a offert à Cousteau un ancien dragueur de mines américain: la *Calypso*. Jacques s'est fait mettre « hors cadres » par la Marine, et a créé une « association sans but lucratif » qui gérera la *Calypso*.

Un contrat assez souple avec la Marine me permet de prendre quelques mois de congé sans solde pour retrouver l'aventure avec Jacques. Sans attendre la fin des travaux les plus élémentaires sur la *Calypso*, il emmène une poignée de savants professeurs faire leurs débuts de plongeurs et récolter des bestioles en mer Rouge, où je découvre la joie des récifs de coraux.

Au retour, Jacques demande une subvention du gouvernement afin de poursuivre son œuvre.

En attendant, il veut faire travailler le bateau et me demande conseil pour entreprendre la fouille d'une épave antique.

Sans nous rendre compte de l'ampleur de cette entreprise, nous nous doutons que nous aurons besoin de l'aide que peut offrir un grand port industriel. Nous parlons de la Chrétienne, mais elle est isolée sur une côte de luxe, les racines de ses posidonies bouchent la suceuse, enfin nous sommes en 1952, l'épave a été pillée.

Je pense à ce vieux scaphandrier grec qui, il y a six ans, nous conta qu'il cassait du corail avec sa martelette, quand il vit des canons bien rangés sur le sable. Descendant les dernières roches, il fut déçu, c'étaient des vases de terre. Notre carte marine des environs de Marseille n'évoquait pas à ce vieil homme les endroits où il avait travaillé, il donnait des explications trop vagues pour entreprendre une recherche.

Il y a deux ans, une ambulance amena au G.E.R.S. un plongeur marseillais à moitié paralysé par un accident de décompression. Notre caisson arrêta la marche de la paralysie, sans guérir Christianini, il était arrivé trop tard après sa plongée. Il passa de longs mois à l'hôpital et, s'il marche aujourd'hui, il le doit à son moral magnifique qui ne le laissa jamais douter que ses jambes inertes fonctionneraient un jour. Christianini me parla des roches profondes où pousse le corail qu'il ne reverrait plus. Je fus particulièrement intéressé par une de ses plongées au Grand Congloué, où il vit, au-delà d'une roche trouée d'une arche, les amphores de notre vieux scaphandrier.

La proximité de Marseille nous tente, comme ses environs riches en épaves de toutes sortes. Nous pourrons en choisir une autre si notre tendresse sentimentale pour l'épave du Grand Congloué ne se justifie pas.

De modestes trouvailles à terre m'ont mis en rapport avec M. Benoit, directeur de notre région archéologique, homme d'une grande érudition. Plutôt petit, le teint coloré sous ses cheveux blancs un peu fous, il a son franc

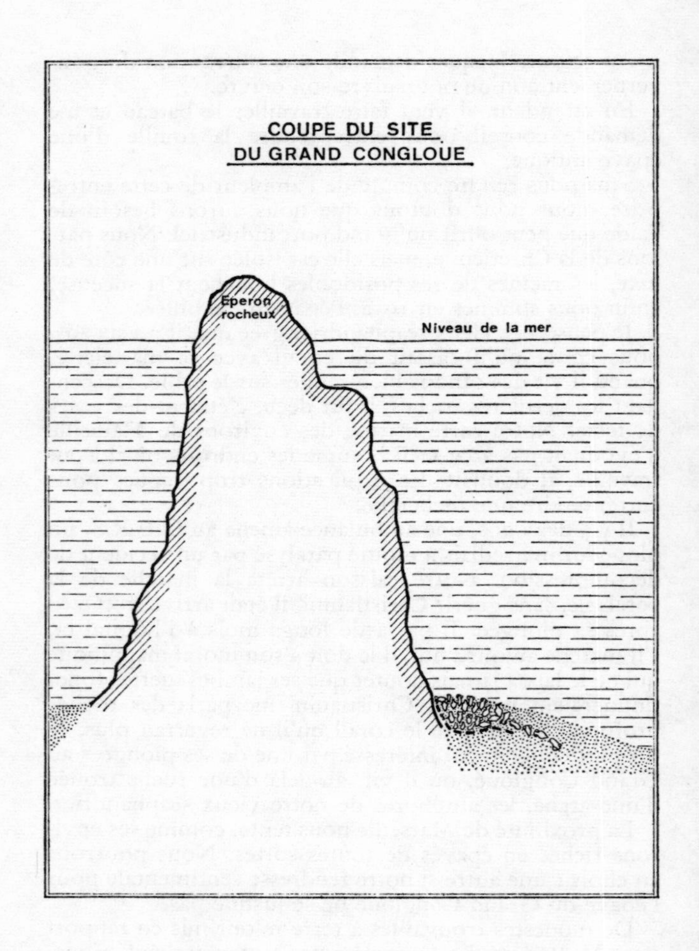
COUPE DU SITE
DU GRAND CONGLOUE
Eperon
rocheux
Niveau de la mer

parler et se montre parfois bougon. Cousteau me charge de lui parler de notre projet et me recommande de ne pas hésiter à bluffer délicatement. C'est à M. Benoit de solliciter les crédits que nous espérons obtenir des Beaux-Arts.

La subvention est accordée, Jacques dit que tout sera terminé le 27 septembre.

La *Calypso* arrive à Marseille le 15 août, Jacques aime appareiller les jours de fête, il marque ainsi son mépris des empêchements que le calendrier oppose obstinément à son activité débordante. D'ailleurs, nous nous rattrapons largement pendant les périodes de mauvais temps.

Dès le lendemain la *Calypso* mouille au Grand Congloué, roche blanche imposante, massive, bordée de falaises à pic. Jacques, M. Benoit et quelques plongeurs m'accompagnent dans le chaland en métal léger que nous préférons à toute autre embarcation. Les premières risées du mistral qui se lève font frissonner la surface. Je me mets à l'eau dans le voisinage d'un éperon rocheux qui s'élargit en une petite étagère, seul point abordable de l'île. Au bas d'une forte pente, une tache sombre dans la masse indécise de l'eau lointaine se précise en une aiguille de roche, trouée à sa base d'une lumière bleu clair: l'arche bien ronde, frangée de gorgones violacées. L'eau devient claire, très froide, et c'est le sable à perte de vue. Vexé, je décris des demi-cercles de plus en plus larges devant l'arche. Sur cette pente raide, je dois avoir dépassé les cinquante mètres car la torpeur me gagne, adoucissant ma déception. Mes idées sont trop brouillées pour analyser la situation et improviser un nouveau trajet. Je remonte.

M. Benoit figé dans une attitude résignée ne dit rien. Nous surveillons du coin de l'œil son air mécontent. Le mistral a fraîchi, l'eau plus bleue se marbre de traînées d'écume blanche, nous mettons le chaland à l'abri derrière l'éperon. Il y a bien vingt minutes que les bulles de Jacques ont disparu et, malgré dix ans de plongée, je ne peux vaincre une certaine angoisse quand je sais un camarade au fond, car nous ne pouvons rien pour lui.

Brusquement une tache claire tremble sous le chaland, un flot de bulles crève la surface, suivi par la main de Jacques qui brandit des coupes rouges, mauves, jaunes, les couleurs des grands fonds. La joie explose, M. Benoit exulte. Nous cherchions des amphores, Jacques apporte des poteries campaniennes. M. Benoit s'en est emparé et ne cesse de répéter:

— Merveilleux, merveilleux, deuxième siècle avant Jésus-Christ. Tout le monde veut toucher. Jacques en a vu partout, de toutes les formes, parmi des amphores en quantité. Jusqu'ici les épaves antiques dataient toutes du premier siècle, le sortilège est brisé.

Je sais que je vais redescendre, pourtant le froid de l'eau est encore dans mon corps, il faut l'oublier un instant, pour sauter. Je contourne l'éperon, m'enfonce le long d'une paroi verticale, blanche et nue, je dépasse une plate-forme moussue, et la chute verticale reprend à travers un banc de poissons argentés dont les mouvements font de petits éclairs. Les gorgones bleues épaississent la falaise de leur ambiance de nuit, bientôt dissipée par la clarté d'une dune de sable d'où sortent des goulots bien alignés. De longues amphores italiques ont dégringolé les pentes, mêlées à des amphores plus rondes, plus courtes. La transparence de l'eau permet de saisir le relief de l'espace comblé par une masse de poteries à l'échelle de la falaise qui la borde. Je tripote avec une émotion grandissante des piles de vaisselle, entre les goulots des amphores, et mes idées s'embrouillent dans la complexité d'un assortiment où chaque forme change de taille, chaque taille prend des formes nouvelles. C'est trop compliqué à quarante mètres et je suis gelé.

Pendant le déjeuner, nous libérons notre trop plein d'enthousiasme en parlant tous en même temps. M. Benoit a le sourire. Le mistral a encore fraîchi, notre ancre risque de lâcher, il faut appareiller.

***

Haute, la panse cylindrique, le col long et les anses droites, l'amphore italique contenait environ 19 litres.
Roger-Viollet.

Doux et affable, notre bienfaiteur M. Junier ne se met jamais en colère contre la mer. Directeur des Phares et Balises, il met sa petite flotte à notre disposition, fait mouiller trois coffres au Grand Congloué et sceller des anneaux dans la falaise. Ainsi pourrons-nous amarrer la *Calypso* au-dessus de l'épave et l'y maintenir par mistral ou vent d'est modérés.

Le mauvais temps persiste, la houle contourne l'éperon qui fait semblant de nous abriter, elle dandine la *Calypso*. Nous plongeons trois fois par jour dans une eau aussi froide qu'en hiver, sortons au bout d'un quart d'heure, livides, les mains gourdes, claquant des dents malgré nos vêtements de caoutchouc mousse. Il nous faut une heure pour nous réchauffer. A chaque plongée l'épave nous paraît plus grande, alors un soir, Jacques et moi la mesurons avec une ficelle: vingt mètres sur huit. Mais jusqu'où s'étend-elle sous le sable?

Les plongeurs en échangeant leurs impressions parlent d'un rocher d'une dizaine de tonnes. Jacques a vu des amphores plus haut sur la pente, j'en ai vu plus bas, le rocher a dégringolé sur l'épave. Il faudra demander à notre ami M. Junier de nous en débarrasser.

Nos nageoires noires dépassent seules d'un nuage blafard que le courant emporte, trop lentement. Nous récoltons à tâtons la vaisselle corrodée, les amphores les plus faciles à extraire, gluantes de vie. Nous entassons tout dans un grand panier grillagé que hisse sur la plage arrière le Lombardini, notre petit guindeau à moteur qui démarre à regret en soufflant des bouffées comme le fumeur allumant sa pipe.

Lallemand et moi guettons l'arrivée d'amphores portant des violets, bêtes noirâtres de la forme et l'aspect d'une pomme de terre retrouvée au retour des vacances. On fend le violet dans le sens de la longueur, pour décoller de sa coque nacrée, avec le pouce, l'intérieur jaune vif, tremblotant, veiné de filets de sang. On le gobe avidement. Le dégoût des spectateurs fait partie du charme de cet animal délicieux.

Les plongeurs se succèdent sans arrêt, rappelés en surface au bout d'un quart d'heure par deux coups de « l'horloge pétante », sobriquet de mon fusil allemand ramassé dans un bois de Sanary à la fin de la guerre.

Raud, notre gabier breton, seul matelot de métier à bord, a une lourde tâche. Riant toujours, il bondit à l'avant choquer le câble d'acier, à l'arrière embraquer une aussière, il saute dans le youyou. Pour parer au plus pressé, satisfaire les demandes qui fusent de toutes parts, il taille sans cesse dans des glènes de filin neuf, sans jamais mettre les vieux en ordre, d'où une débauche de cordages. Sur la plage arrière devenue toile d'araignée, on ne sait où poser le pied parmi les amphores qui se dandinent avec les mouvements du bateau, roulent, et choquent nos appareils de plongée. Des hommes mouillés vous bousculent, d'autres, alourdis par l'équipement, titubent vers l'échelle.

M. Benoit et Lallemand maculent de vase blanche le cahier de fouille. Nous les aidons à débarrasser le pont, pour nous frayer un chemin, à vider les amphores avec la lance à incendie. Couvert de vase jusqu'aux épaules, penché sur le flot épais que les amphores dégueulent avec des borborygmes, Lallemand pousse un rugissement de triomphe pour un bout de doublage en plomb, froissé, un noyau d'olive, un fragment de poterie avec son beau vernis noir. Hier il a trouvé deux hameçons de bronze. Il inonde la plage arrière de sable, de vase, de coquilles et d'eau sale. On le bouscule car le panier remonte lourdement chargé. La corde tendue fouette une pluie de gouttes à chaque secousse du guindeau. Les amphores crèvent la surface, ruisselantes, la corde casse, le panier s'enfonce majestueusement, laissant dans l'eau bleue une traînée blanche. Raud se fait engueuler.

Depuis notre arrivée, le banc de bogues frémissant dans le ciel de l'épave s'est épaissi, c'est tout juste si ces petits poissons s'écartent pour nous laisser passer.

Sur le chantier poudré du sable soulevé à nouveau par chaque plongeur, un chapon se tient entre les cols d'amphores, trapu, paisible, épineux, blafard ici, mais d'un beau rouge en surface. Je peux certifier en connaisseur la première épine d'un chapon très venimeuse.

D'autres poissons: cantres, sards, rougets, maintenant établis sur le chantier, picorent jusque entre nos jambes les vers que la fouille dégage du sable. Seule la ligne d'Ahnen, notre cuistot, pourrait les inquiéter, car, de temps en temps, nous voyons l'un d'eux s'envoler vers la poêle dans un éclair blanc.

Le soir, dans le carré encombré de vaisselle antique, les archéologues mesurent, dessinent, comparent. Les séries de tailles se complètent sur les rayons de la bibliothèque où les pièces intactes prennent la place des exemplaires ébréchés. Chaque forme nouvelle déclenche une ovation. Les poteries s'arrachent au sable moins rongées qu'au début, le vernis noir paraît par plaques entre les concrétions calcaires qui s'enlèvent assez facilement. Des séries de bols, saladiers, coupes sans anses, ressemblent, en plus élégant, aux formes actuelles. Les calices, les flacons à parfum, les pots à fard rappellent les formes grecques vues dans les musées. Les assiettes reposent sur un petit pied dépourvu de stabilité, les Romains ne devaient pas y couper leur bifteck. Nous aimons le plat à poisson avec son creuset central pour recueillir le jus ou peut-être contenir une sauce spéciale. Des rosettes, des palmettes, des marguerites, imprimées au centre, quelques anneaux réservés et de légers coups d'ongle décorent discrètement cette vaisselle noire, d'un luxe très sobre, fabriquée dans la région de Naples appelée Campanie, qui avait fait partie de la Grande Grèce. Les Romains exportaient ces poteries sur tous les bords de la Méditerranée, d'où elles se répandaient vers l'intérieur des terres.

Trouvé avec la vaisselle romaine, un fragment de poterie grecque fait la joie de M. Benoit. Il nous agace souvent en disant:

— Ce n'est pas du grec, c'est du romain.

Refrain repris en chœur dès qu'il a le dos tourné. Certaines mauvaises langues l'accusent d'avoir dit qu'en continuant à creuser, nous trouverons le niveau grec.

***

Depuis quelques jours nous n'apportons rien à Marseille. Ce soir, quai des Belges, face à la Canebière, deux camions de la ville nous attendront avec une équipe de scouts. Il faut des amphores.

Dans l'espoir de les récolter plus rapidement, j'attache onze cordelettes le long d'une corde, et descends avec une extrémité de cette « palangre à amphores ».

J'attache cette extrémité à une amphore dégagée du sable, tire doucement pour avoir du mou, dégage une autre amphore et l'amarre avec la première cordelette. Je choisis les amphores qui ne risquent pas de se coincer, ou les dispose pour un envol facile, en gardant la corde constamment tendue pour éviter qu'elle ne s'embrouille. Je commence à m'essouffler. Voyant l'eau de plus en plus opaque, le chapon s'en est allé, dégoûté. Enfin voilà la dernière amphore amarrée, je donne quelques secousses sèches sur la corde. Jacques, là-haut, tient l'extrémité, sent et comprend le moindre de mes mouvements. La corde raidit comme celle d'un fakir, la dernière amphore amarrée fait un saut et s'élève, la suivante bondit aussitôt, et j'ai à peine le temps de décrocher la corde prise autour d'un col avant l'envol de la troisième. Je me tortille le long de la corde pour présenter chaque amphore à la secousse vers le ciel trouble où se perd un long chapelet. Un choc fait sonner les bouteilles d'acier sanglées dans mon dos, une amphore s'est libérée. Onze sont montées, la méthode paraît bonne. Un autre plongeur y va. Quinze minutes s'écoulent, il revient très satisfait. Quand la première amphore sort de l'eau, son col casse, sa panse tombe sur la deuxième amphore, la casse, et ainsi de suite. Il nous reste une demi-amphore et un col. Je n'insiste pas.

Labat, chef scout dont la passion de l'eau confine au

mysticisme, propose de faire monter les amphores en y injectant de l'air comprimé. La méthode, pour curieuse qu'elle soit, me paraît peu rentable, mais Jacques, séduit par son pittoresque inédit, donne sa chance à Labat. Dès la fin du repas, celui-ci se met à l'eau avec un tuyau d'air comprimé terminé par une tubulure de cuivre. L'air monte en panache pendant un quart d'heure. Les partisans de la méthode baissent les yeux, les autres entrevoient un triomphe facile. Crac, une amphore jaillit le cul le premier, se couche et se dandine au gré du clapot. Cri d'enthousiasme général. Labat a gonflé deux amphores, l'une a éclaté en montant. Il paraît qu'elles s'envolent d'un seul coup d'aile. Malgré ce succès, le panier reprend son va-et-vient.

Nous regagnons Marseille avec cent cinquante amphores et environ deux cents pièces de vaisselle campanienne. Jacques manœuvre pour approcher du quai encombré par la foule. Raud envoie le lance-amarre, longue cordelette dont l'extrémité est tressée autour d'une boule de plomb. Je soupçonne Raud de viser le chien d'une dame ou le chapeau d'un monsieur car, chaque fois, son lance-amarre provoque des incidents. Les camions nous attendent, les scouts envahissent la plage arrière, une procession d'amphores oscille sur des épaules, en chemin de fourmis dans la foule serrée.

L'arrière de la *Calypso* est maintenu par deux câbles d'acier amarrés au ras du sol à des canons plantés au milieu du quai.

Au cours de la soirée, on voit parfois un promeneur admiratif trébucher sur l'un des câbles et se ficher par terre. Il y a d'ailleurs une flaque d'eau pour le recevoir.

***

Beuchat, ami de longue date, pionnier de la chasse et de la photographie sous-marines, nous amène Albert Falco, appelé Bébert. Raud va être aidé par un excellent marin, nous par un plongeur de grande classe. A l'aise dans l'eau comme un dauphin, Bébert nous sera d'autant plus utile que Raud, en bon Breton, ne se mouille jamais.

Des plongeurs bénévoles complètent notre équipe, qui arrivent, repartent, reviennent, selon les nécessités de leurs affaires personnelles. Un certain temps leur est nécessaire pour se familiariser avec notre chantier, si spécial. Quand ils atteignent le fond, ils oublient nos consignes. Excités par ce chaos d'objets antiques exploré à tâtons, dans la vase agitée par le plongeur précédent, ils cherchent la pièce nouvelle qui soulèvera là-haut un cri d'enthousiasme flatteur.

***

Le mois d'août s'achève. Malgré les centaines d'amphores qui s'entassent dans un hangar du musée Borély, les piles de vaisselle qui empuantissent la petite salle obscure où M. Benoit les classe, l'épave résiste. Elle nous oppose sa profondeur, son eau troublée par le moindre geste. Une fine couche de poussière ternit les gorgones de la falaise, les amphores se dissimulent sous un sable vaseux, jonché de journaux, de bouts de corde, de boîtes de conserves, de débris de cuisine. Nous déchargeons cet énorme bateau sans connaître les lois élémentaires de l'archéologie. Notre grappillage n'entame pas l'épave, il faut donc concentrer nos efforts pour faire un trou, atteindre le bois de la coque pour nous situer. Le bateau nous intéresse plus que la cargaison, mais le sable l'a-t-il protégé des tarets qui dévorent en quelques mois un bateau au mouillage? A partir du trou, notre travail de docker devrait être plus facile.

Je délimite l'emplacement du trou par quatre bouées dont les flotteurs domineront le nuage de vase.

Quelques jours plus tard, je descends le premier pour profiter de l'eau claire. Entre mes bouées: pas de trou! Furieux, je creuse à la main, arrache des morceaux d'amphores, puis, instinctivement, comme les autres, je m'éloigne du nuage, pour y voir. Il faut utiliser une suceuse.

***

Un bateau sort de la brume du matin et se dirige vers nous. C'est le *Fresnel* envoyé par M. Junier. Robuste, équipé pour soulever de lourdes charges, le *Fresnel* va dégager les roches qui encombrent l'épave, ceinturées hier avec des élingues d'acier. Il est commandé par Jeres, colosse d'origine espagnole qui rit bruyamment en jouissant de sa force, de celle de son bateau.

Après les saluts d'usage de bateau à bateau, Jeres demande à Jacques le poids du gros bloc. « Deux tonnes, ça va ! » Ses yeux brillent. J'ai besoin d'un homme fort et demande à Galerne de plonger avec moi. Nous suivons la descente de l'énorme croc du treuil, jusqu'au sable, à six ou sept mètres du bloc. Galerne s'empare du croc, perd l'équilibre, soulève l'inévitable nuage dont les bouffées opaques enveloppent Jacques descendu avec la caméra. Jacques doit être furieux.

Je calme Galerne de la main, l'aide à engager le croc dans l'élingue, donne des secousses au petit filin qui nous sert à manifester nos désirs. Le bloc s'anime sous mes pieds, hésite, se soulève, oh ! mais très peu, et retombe sur les amphores. Enorme ! Voilà qu'il reprend vie, pour se décourager tout de suite. Nous crevons la surface sous la bonne tête de Jeres, furieux, vociférant : « Il pèse au moins douze tonnes ! Mon moteur faisait des étincelles. »

La brume s'est dissipée, un solide beau temps lisse la surface que picorent de petits poissons, on pourrait croire que de petits graviers tombent sur l'eau.

Jeres a des ressources. Un énorme palan manœuvré par le treuil soulève le bloc, le *Fresnel* recule pour lâcher son fardeau hors du chantier. Nous ne voulons pas avouer tout de suite la taille du bloc, on blague le treuil de Jeres, mais les sourires des deux équipes en disent long.

Deux roches plus petites sont enlevées. Cette fois Jeres nous plaisante sur leur taille, il a pris ses précautions.

***

Nous avons enfin installé une suceuse mais, trop souple, elle s'aplatit, tousse, a le hoquet ou des spasmes. L'air y chemine comme une souris dans le ventre d'un boa: sans travailler. Jacques se fait prêter un tuyau plus robuste, par la Marine. Fini le bricolage, nous allons creuser une tranchée et voir comment sont disposés les deux types d'amphores. Au sommet du tas, le doute n'est pas possible, un groupe d'amphores longues, italiques, est disposé en bon ordre. Ses limites ne sont pas nettes, du moins dans notre esprit, car nous rencontrons de petits filons d'amphores gréco-italiques, aux formes plus arrondies. Sur les pentes, c'est le chaos, les deux types se sont mélangés quand la coque a cédé sous le poussée de la cargaison. Pour le moment, les amphores longues dominent, nous pensons voir les rondes en dessous.

***

Je descends avec un camarade. Une eau glaciale me brutalise à vingt mètres, instant vite oublié sous l'effet anesthésiant de la profondeur (1). La suceuse dévore le sable, les cailloux arrachés à l'île par les intempéries, les morceaux d'amphores, les concrétions tombées du trottoir littoral formé à la limite de l'eau et l'air, les spondyles, huîtres massives, communes sur les épaves voisines de la côte. Quel appétit ! Nous nous regardons avec satisfaction. L'air comprimé ronfle, les cailloux glissent vers la suceuse, font un bond et sont happés. Ils s'entrechoquent dans la buse de cuivre. Le sable se tasse sur les bords de l'entonnoir, coule vers moi sur les pentes, il se concentre en une langue blanche qui palpite devant la gueule de la suceuse. Je n'ai jamais travaillé si profond avec cet engin. Si cette ventouse se plaquait sur ma cuisse, j'espère que la peau résisterait.

Une coupe saute et se plaque sur la buse, je ne parviens pas à la décoller, les cailloux la martèlent, elle s'effrite, est aspirée. Je ris malgré l'eau en pensant à M. Benoit,

1 *Voir page 237.*

là-haut. De gros cailloux se plaquent sur la buse, je les fais céder en les cognant contre les amphores.

Quand les plongeurs suivants nous relèvent, nous montons ravis, voilà enfin un engin efficace !

Ce n'est pas l'avis de M. Benoit qui se lamente et gémit, face au panier où la suceuse crache des gravats et de la vaisselle fraîchement cassée, en un jet épaissi de sable. Il manipule avec tristesse un petit triangle noir brillant, il a renoncé à rassembler les tessons : « C'est un désastre. »

Dans l'enthousiasme nerveux qui suit la plongée profonde, je lui décris la suceuse dévorant les piles d'assiettes, broutant les grands plats, émiettant les calices. Raud exulte, il a une dent contre cette vaisselle encombrante et inutile, ces amphores qui salissent son pont. Le désespoir de M. Benoit lui est doux.

Lallemand se précipite vers le panier. Trempé par la trombe, il brandit une coupe noire intacte, première pièce en parfait état. Comment a-t-elle pu traverser ce cataclysme ?

La coupe distrait un moment M. Benoit, mais voici venir Labat et Médan ruisselants et gelés, ils réclament un marteau pour casser la vaisselle qui obstrue la suceuse. Nous entourons M. Benoit, le réconfortons : il y en a tellement.

Le marteau est adopté à l'unanimité moins une voix. Le long de la *Calypso*, la vase étale dans l'eau bleue une forme vaporeuse étirée par le courant.

Le remue-ménage de la suceuse n'effraie pas les poulpes blottis dans les goulots d'amphores, pelotonnés à l'étroit, incapables de se dissimuler dans ce village en ruine. Je pense à leur joie, il y a deux mille ans, quand ils virent descendre du ciel, sous sa grande voile en torche, ce palace préfabriqué aux logements individuels spacieux, dont les entrées étroites vous mettaient à l'abri des gros mérous qui vous aspirent et vous avalent. Décernant à cet hôtel moderne un maximum d'étoiles, ils y savouraient les coquillages, ils l'ornaient des objets plaisants rencontrés en rampant, car le poulpe est comme la pie. Ainsi trouvons-nous parfois dans les amphores les vestiges d'un habitat moins ancien.

Ce matin, un poulpe déroule sa chair ondulante et multiple au bord du trou de la suceuse. Je remue les doigts pour rendre attrayante la main que je lui tends, le dirige délicatement vers la buse où il s'évanouit comme une fumée. Il paraît qu'il a débouché plein d'entrain, avec une pointe de mauvaise humeur.

Quand la suceuse cesse de cracher, Lallemand trie le panier où il recueille des bouts de doublage froissé, des plombs de pêche romains et ceux perdus par les pêcheurs du dimanche, d'ailleurs parmi ceux-ci il en est de très anciens. Parfois un petit objet brillant le fait sursauter: une balle du fusil. Il trouve aussi des pièces de monnaie actuelles qu'un joyeux plongeur a tendues à la suceuse, comme l'on donne les cacahuètes au singe du zoo.

Dans le panier, les morceaux de vaisselle arrivent de mieux en mieux conservés. Quant au vernis noir...

Avec son enthousiasme méditerranéen, Lallemand laisse son imagination s'exciter sur chacun de ces débris pour reconstituer, peut-être un peu trop vite, le drame humain que nous essayons de déchiffrer.

Au repas du soir, il sort de sa poche une toute petite chose noire qu'il manipule comme une pierre précieuse: un pignon trouvé dans une amphore. Quand les Italiens éventrèrent l'épave d'Albenga avec une benne, ils montèrent des amphores pleines de ces amandes de pin savoureuses. Lallemand nous montre aussi un fragment en mauvais état du bouchon d'une amphore. Beaucoup avaient conservé leur bouchon à la Chrétienne, ici pas. Pourtant elles étaient bouchées, la preuve est là. Je me demande si la pression ne casse pas, à une certaine profondeur, le sceau de chaux et le bouchon de liège, car il me semble trouver plus de bouchons en place aux faibles profondeurs.

Lallemand n'obtient pas le succès escompté car le vent d'est souffle de plus en plus fort et le dîner est égayé par le roulis. Dans les glissements alternatifs, les dangereuses oscillations des bouteilles, chacun dévoile son caractère en retenant ce qu'il juge le plus précieux. Le maître d'hôtel exécute une figure de danse dans le carré pour maintenir l'équilibre du plat juché sur sa main. Je me dispute avec Jacques qui dit le métier de marin le plus beau, et je me laisse aller à dépasser ma pensée en qualifiant cette vie de termes abominables. Je vois le paradis du marin comme un bistrot douillet, face à l'océan des Enfers où des camarades malchanceux, à l'extrême limite du malheur, naviguent pour toujours sans escales sur l'infini d'une eau tumultueuse.

Les hommes de quart ont pris leur faction, je m'endors bercé, ruminant les énigmes de l'épave.

Des voix trop fortes, proches et lointaines, percent mon sommeil. Je dégringole de ma couchette. La plage arrière m'éblouit, illuminée par le projecteur, grouillante de monde dans une atmosphère de drame. Le chaland monté par trois silhouettes bondit dans la nuit parmi les crêtes blanches. Nous avons sous le vent l'écueil menaçant du Petit Congloué. Jacques commande fermement une manœuvre à laquelle je ne comprends rien. Pour aider, je mets de l'ordre sur la plage arrière, on peut avoir besoin d'un filin, tous sont engagés ou en pagaille. Par bribes, je saisis la situation: les aussières de l'arrière ont cassé, le bateau a pivoté autour du coffre nord-ouest, la suceuse s'est accrochée à l'orin du coffre sud-ouest et retient notre arrière dans le vent. La mer fume. Le youyou est crevé, le chaland lutte pour amarrer la suceuse sur le coffre, mais la mer est trop forte. Un câble d'acier coincé sous notre arrière se prendra dans les hélices s'il faut appareiller. De la passerelle, quelqu'un suit l'action avec le projecteur dont la lumière rasante vous aveugle. Toujours très calme dans ces circonstances, Jacques fait trancher tout ce qui retient la suceuse, elle disparaît dans la nuit.

Réfugié au carré, M. Benoit gémit: « C'est épouvantable. »

Le vent hurle.

En me regardant, Jacques parle d'une plongée rapide pour dégager le câble pris sous notre arrière. Je me souviens sans plaisir d'une nuit de tempête en Corse, quand je bagarrais à tâtons sous l'arrière de la *Calypso* montant et descendant, contre un câble pris dans l'une des hélices. Bébert parvient à saisir le câble avec une gaffe et le dégage par secousses. Ouf ! Nous sommes maîtres de la situation. Les marins comprendront la joie qui règne à bord. Il est trois heures du matin, autour d'un solide casse-croûte les plaisanteries fusent sur cet incident déjà baptisé « la nuit tragique ». M. Benoit est allé se coucher, on rit de la vaisselle cassée, chacun dit son mot sur la suceuse-broyeuse. A chaque énormité éclate le refrain : « Ah ! si Benoit il savait ça ! » Nous apprendrons par la suite que les enfants de M. Benoit, au courant de notre refrain, le lui servaient à table.

Est-ce une illusion ? Chaque année, la chaleur, le froid, la sécheresse, la pluie même parfois font dire aux Méridionaux : « On n'a jamais vu ça ! »

A quelques jours de la nuit tragique, Jacques décide de dormir sur place, malgré le mistral. Nous finissons de dîner quand Raud passe la tête par le hublot et annonce : « Le bateau chasse ! » Nous nous précipitons dans la coursive. La roche frangée d'écume, à toucher notre arrière, l'éperon défile dans la lumière crue du projecteur. Nous traînons le coffre. Jacques donne des coups d'hélices pour se maintenir écarté. Bientôt l'étrave longe l'éperon, et nous voilà derrière l'île, toujours tenus par le coffre. Le vent, plus violent, va nous plaquer sur la falaise, il faut se décider à filer toute notre chaîne à la mer.

Lallemand prétend que nous avons « gratté le cul de *Poséidon* ».

Le beau temps revenu, nous ne trouvons plus le coffre. Le *Fresnel* vient en mettre un autre, « de cuirassé » dit Jeres, et il ajoute « cette fois c'est votre étrave qui cassera ». Il ne se doute pas qu'il devra bientôt en mouiller un plus solide encore. Pendant l'opération, nous plongeons pour récupérer notre chaîne de mouillage que nous soupçonnons de retenir le coffre entre deux eaux. Robert, dit Picassou, ou plus simplement Pic, emporte le palan dont j'ai besoin pour soulager et libérer la chaîne. Pâtissier-boulanger à Marseille, Pic gagne sa vie dans la mer, mal d'ailleurs. Malville traîne une aussière filée de terre, pour amarrer la chaîne.

Le mistral a fait monter jusqu'en surface l'eau toujours froide du fond. Nous trouvons le coffre à trente mètres, crevé par la pression, sur un mamelon couvert de posidonies. La chaîne, raide comme une barre de fer, fait un pont sur une faille. Décontenancé par cet imprévu, je cherche Pic, déjà trop loin au-dessous de moi pour entendre un grognement d'appel. La pente du socle de l'île est raide, je rejoins Pic vers soixante mètres. Au retour vers le coffre, nous rencontrons Malville et son aussière. Abrutis par la profondeur nous traînons l'aussière sans penser qu'elle fait une boucle, l'effort nous fait haleter. Les gorgones de la falaise teignent nos mains de violet, la boucle s'accroche. Redescendre, remonter, nous mettent à la limite de l'essoufflement, et l'aussière n'avance plus. Je fais signe de l'abandonner pour aller vers le coffre crevé. Pic n'a pas lâché le palan, nous l'installons à grand-peine, bien qu'il soit inutile. Décidément, cette plongée n'est pas un succès. Je cherche autour de moi. Une autre aussière pend de la falaise, Pic a disparu. Malville comprend mon intention et m'aide à amener l'aussière jusqu'à la chaîne et l'amarrer: le *Fresnel* pourra hisser.

Là-haut, les autres rient encore. Pic a jailli de l'eau flottant comme un bouchon et rotant d'une façon indécente. Son masque fuyait, il avalait de l'eau et de l'air sous pression, il ne pouvait plus tenir. L'air s'est dilaté à la remontée dans son estomac douloureux.

Impressionnés par l'acharnement de notre lutte contre la mer — la Méditerranée passe à tort pour une mer clémente — les Marseillais font tout ce qu'ils peuvent pour nous aider, et plus encore. La bonté de leur accueil, leurs encouragements nous permettent de continuer à braver le mauvais temps. La ville nous a adoptés. Une avarie nous arrête, un projet germe, l'avarie est réparée, le projet réalisé. La chambre de commerce nous installe la radio pour communiquer avec son réseau, le conseil général nous accorde une subvention d'un million d'anciens francs et dix tonnes de gas-oil. La mairie accepte de nous prêter Davso pour la durée des travaux. Employé de la voirie, il nous a été signalé par des amis comme un excellent plongeur et un artisan mécanicien remarquable. Un plongeur stable a la supériorité du professionnel et vaut dix plongeurs en visite. Davso ne devait plus nous quitter.

***

Déjà mi-septembre. Sous sa peau de sable, tel un ballon dégonflé, l'épave paraît flasque, elle a des rides, des dépressions. Les légères blessures faites par la suceuse mettent la poterie à nu, vite cicatrisées par les coulées de sable. A peine entamée, l'épave continue à nous résister, énorme. Certaines amphores nouvelles compliquent les datations de M. Benoit. Le cachet imprimé sur le col des amphores italiques avant cuisson est devenu très lisible car la poterie n'est plus couverte de concrétions. M. Benoit a identifié cette inscription : S E S suivie d'une ancre ou d'un trident. Il ne s'agit pas de la marque du potier, mais de celle de l'importateur de vin, Marcus Sestius, Italien de la région de Naples fixé à Délos au début du IIe siècle avant Jésus-Christ. Naturalisé citoyen d'honneur de la ville, centre comparable à notre Marseille, le riche armateur devint Marcos Sestios. Ainsi s'expliquent les amphores et le fragment de poterie à relief provenant de Grèce. Notre épave montre l'importance du commerce des vins avec la Gaule et la puissance de ces hommes d'affaires qui avaient déjà inventé le trust en rassemblant entre leurs mains : vignobles, fabriques d'amphores et flottes sillonnant la Méditerranée. Les escales de la longue route entre Délos et le naufrage nous promettent des découvertes passionnantes.

***

Aux amphores, à la vaisselle vernie, masse anonyme d'une cargaison destinée à l'exportation, nous préférons un pot à graisse d'une facture grossière, quelques morceaux d'ustensiles portant encore la trace du feu de bois. Ceux-là viennent de la cuisine et nous évoquent les marins romains qui les manipulaient tous les jours. Le caractère familier de ces poteries me pousse à creuser pour chercher d'autres témoignages de la vie du bateau, et je suis tenté d'écarter les débris d'amphores et les pierres. Je maudis l'eau qui m'empêche de les jeter au loin, irrité de ne pouvoir faire un choix, d'avoir à déposer tous ces gravats, un à un, dans le panier, sous peine de les voir s'accumuler sur l'épave.

Par mesure de sécurité, la *Calypso* s'écarte de la roche pour la nuit, alors il y a toujours des amateurs pour jeter un à un les détritus à la mer. On ne se lasse jamais de ce geste satisfaisant. Nous mettons de côté les culs et les cols d'amphores car M. Benoit compte les pièces et relève les marques.

Les plongeurs qui défilent au Grand Congloué ne se rendent pas toujours compte du travail considérable accompli par M. Benoit. Il aime déchiffrer et expliquer les marques des amphores, les graffiti des poteries campaniennes, analyser et classer les formes, et sa compétence nous émerveille. Malgré son humeur parfois agressive, aussi enthousiaste que nous, sa joie devant une pièce nouvelle nous soutient, nous encourage. Si parfois nous le plaisantons, c'est enfantillage de marins.

Fin septembre. Les jours raccourcissent. Le soleil bas annonce l'hiver en étendant l'ombre du grand rocher sur le plan d'eau de l'épave. Sous la mer nous ne sentons pas de différence, mais on a moins envie d'y aller. Beaucoup de plongeurs nous ont quittés, leur congé terminé. Certains veulent revenir à Noël.

Nous perdons beaucoup de temps en appareillant si souvent. Chaque fois il faut réinstaller la suceuse, elle ne tombe jamais au bon endroit. Le plongeur attaque où il la trouve puis, instinctivement, la déplace vers de l'eau plus claire. Les secousses du bateau se transmettent au tuyau et nous déséquilibrent, nous entraînent. Jacques décide d'équiper l'île d'un long mât incliné qui supportera la suceuse. Au cours d'un banquet officiel, il a fait la conquête du général commandant le génie. Nous appareillons avec une équipe de sapeurs pour installer la bigue de dix-sept mètres prêtée par une entreprise de bois. Incommodés par la traversée, les soldats retrouvent leur entrain en montant à l'assaut du rocher où ils déploient un grand luxe de matériaux et d'instruments. Ils dressent des poutres, plantent des barres de fer, préparent du ciment. Notre île aride prend une tournure civilisée, bien que militaire.

A la nuit tombante, la plate-forme des treuils est terminée, un quai fait d'un gros madrier suspendu à des chaînes permet d'accoster les embarcations.

Les sapeurs préfèrent camper sur l'île qu'affronter le dandinement de la *Calypso*.

Pluie dans la nuit, suivie d'un mistral violent, il faut filer la chaîne, aller s'abriter ailleurs.

Vers midi, Jacques décide de regagner Marseille. La *Calypso* environnée de tourbillons d'écume se présente sous le vent de l'île. Les trous de roche au ras de l'eau soufflent des embruns irisés. Par gestes et mimiques, nous décidons les sapeurs allongés au soleil à sauter dans le chaland, qui les emmène à bord un peu mouillés, mais heureux de s'être comportés en marins. Ils sont moins fiers pendant le retour, vautrés sur la plage arrière transformée en lendemain de bataille.

Lorsque le « temps de sapeur » s'est calmé, la bigue est hissée. Nous suspendons un poids à son câble, je plonge pour voir où il tombe. Passé la petite plate-forme, le câble court sur la falaise, bien avant l'épave. Au-delà des dernières amphores une touffe d'algues attire mon attention car les algues ne poussent pas sur le sable. J'empoigne la touffe. D'une bouffée de vase sort une vasque en marbre, rongée, trop plate pour être un mor-

Enfin Délos! Ville de marbre inattendue sur la petite île de pierraille rousse, désolée. Roger-Viollet.

tier à ailloli. Je m'élance pour nager mais le poids me plaque au sol. Je marche. Je grimpe au câble de la bigue. La pesanteur retrouvée me rend craintif du vide, j'abandonne ma charge.

Jacques n'est pas étonné en apprenant la mauvaise nouvelle. Nous imaginons divers moyens pour manœuvrer quand même la suceuse, mais ces solutions de fortune laissent entrevoir trop d'ennuis. Il faut à nouveau faire appel à la patience des Marseillais, sans limites. Nous choisissons la plus longue des bigues et faisons encore allonger ses vingt-trois mètres par un tube d'acier portant les anneaux de fixation des câbles.

La traversée de rues étroites et encombrées, par ce poteau démesuré, ne manque pas de pittoresque. Le suspendre le long du flanc de la *Calypso* ne pose pas de problèmes, mais au Grand Congloué nous ne serons plus aidés par les sapeurs. Il faut nous partager entre l'île et le bateau. Nous nous demandons avec inquiétude si l'ancienne installation résistera. Au moment de hisser, un veilleur juché en haut de la falaise doit prévenir si le rocher porte-câble dégringole. Cette fonction me paraît purement honorifique.

Lentement avec des craquements douloureux pour nos cœurs, la bigue s'incurve, s'incurve, puis se décide à se soulever. Le câble tombe sur l'épave, nous nous sentirions tous éreintés sans ce succès.

La *Calypso* nécessite des réparations. Jacques veut l'utiliser ailleurs. Il décide d'équiper l'île avec une baraque américaine confortable, l'électricité et l'air comprimé. Une équipe de robinsons poursuivra les travaux.

Un maçon scelle une échelle de fer à la falaise, sous la légère pente qui domine l'épave. En ce seul endroit habitable se trouve même un peu de terre et quelques touffes d'herbe drue entretenues par l'humidité des nuits marines. Je dégage à la dynamite le socle de la future

« cité radieuse », déjà baptisée par les Marseillais qu'étonne encore leur immeuble de Le Corbusier.

***

Mon congé terminé, je reprends mes activités au G.E.R.S., mais je passe les week-ends au Grand Congloué quand le temps le permet. Une petite équipe, dirigée par Bébert, décharge dans le calme la partie haute de l'épave, comme j'aurais voulu le faire. La base de la falaise sort du sable blanche et nue, plaquée par endroits du plomb de doublage, froissé contre la roche. La suceuse monte très haut, redescend le long de la bigue, passe l'éperon et crache dans une faille où le sable demeure et peut être trié. On entend le frottement du sable dans le tuyau, le cliquetis des gravats dansant dans les coudes, le tuyau se trémousse péniblement, vomit par saccades entre deux râles et s'immobilise, bouché. Il faut supprimer la partie descendante, faire cracher directement dans un panier suspendu à la bigue.

L'eau chargée de vase impalpable s'étale alors en surface, nappe entraînée par un léger courant. Sable, coquilles, concrétions, lavés par la chute, pleuvent sur nous avec la lenteur de la neige, sans troubler l'eau. Toute l'épave s'estompe sous un tapis blanc que déchire la suceuse. La plate-forme est devenue une usine où, au sortir de l'eau d'hiver, nous nous rôtissons délicieusement entre des lampes à infra-rouge.

Mes camarades parlent d'un pont doublé de plomb, sous les amphores. Ils ont dû voir un morceau de coque plié dans l'effondrement du bateau. Un gros tuyau de plomb sort du sable au milieu du chantier, nous croyons qu'il aboutit à la pompe de cale.

Le 1er mars, Bébert me montre, près de la falaise, les extrémités de membrures noirâtres, rongées par les tarets, il a aperçu la quille.

La mer se lève, je suis venu avec le *Hou-Hop*, mais ce soir il ne pourra pas accoster, et pourtant je tiens à regagner Marseille.

Quand, malmené par les vagues, le bateau longe la falaise, la peur s'empare de moi au moment de sauter de si haut sur ce pont mouillé. Le bateau passe une dernière fois. Parfois l'on agit malgré soi, je me retrouve sur le pont avec une violente douleur au talon. Plus qu'une douleur, une sensation affreuse. Pendant le retour très pénible, j'essaie de m'illusionner sur la gravité de ma blessure. A quai, mon talon mou s'effondre sous mon poids et m'arrache un gémissement. Des camarades me ramènent hébété à Sanary. Nous avons invité des amis à la maison. Pris de nausées, je dois finir le repas allongé sur le parquet. Nous écoutons ensuite longuement des disques.

Le chirurgien m'annonce que le calcanéum est cassé et, croyant le courage inhérent au métier de plongeur, me déconseille de souhaiter cette fracture à mon pire ennemi. Je mettrai longtemps à me débarrasser de l'amer et inutile remords de n'être pas resté sur l'île.

Plus question de partir pour Nairobi, où je devais repêcher un monceau de munitions de la dernière guerre, dans un lac habité par les crocodiles.

***

Fin juin, enfin débarrassé de la botte de plâtre, ma jambe amaigrie de moitié, je reprends les plongées au Grand Congloué.

Une vaste partie du pont, ou entrepont, sans trace de doublage, bien sûr, recouvre plusieurs couches d'amphores gréco-italiques. Celles-ci étaient nettement arrimées sous les amphores italiques. La vaisselle se rencontre encore, par filons, parfaitement conservée, et je m'étonne que la mer ait rongé et concrétionné le haut de la cargaison et épargné le bas.

L'année suivante, notre camarade Girault dirige le chantier. Il a remplacé la vieille suceuse souple, cause de tant d'ennuis, par un tuyau rigide, vertical, avec tronçon flexible en bas. La suceuse crache par une crosse dans un fût métallique percé de nombreux trous. Une grande innovation : le débouchoir. On fait descendre un poids cylindrique dans le tuyau en manœuvrant un câble de terre. Ce poids remonté à bloc obture l'orifice par lequel on le met en place et le manœuvre.

Un morceau de coque, à double bordé, est resté à plat sur le bord du vaste entonnoir où l'on voit trois pièces de bois parallèles. Je les dégage avec la suceuse, arrive aux membrures sur lesquelles ces serres sont fixées pour renforcer intérieurement la coque. Comme le trou se vide, les membrures tendent vers leur partie centrale appelée varangue, encore sous le sable dans l'axe du bateau.

Nos travaux ont fait un vide impressionnant, la profondeur atteint maintenant quarante-cinq mètres, pourtant il reste encore beaucoup de poteries plus bas dans le sable. Nous ne saurons jamais combien. Trop d'équipes se seront succédé de 1952 à 1960 pour finalement laisser la place aux pilleurs qui y trouveront encore leur profit.

***

Le bateau du Grand Congloué portait une cargaison très diverse, embarquée au cours d'une longue route. Estimer sa longueur à trente mètres et le nombre d'amphores transportées à trois mille nous mettrait sans doute en dessous de la vérité.

Nous avons trouvé une trentaine d'amphores du type grec de Rhodes, en forme de toupie, à l'embouchure bordée d'un bourrelet. Certaines portaient sur l'anse une marque qui permit à Miss Grace, la grande spécialiste américaine des amphores, de situer leur origine entre 220 et 180 avant Jésus-Christ. Ce groupe présentait des variantes provenant de petites îles voisines de la Turquie, connues à l'époque pour la qualité de leur vin.

Deux amphores du type punique venaient peut-être de l'Italie du Sud.

La masse de la cargaison était composée d'amphores italiques et gréco-italiques. Ces dernières, de forme arrondie et élégante, étaient fabriquées un peu partout dans les régions méditerranéennes. Nous en avons monté plus de quatre cents, de deux tailles. Les grandes contenaient vingt-cinq à vingt-six litres, les petites douze. Elles ne portaient pas de marque.

Les amphores italiques, hautes, à panse cylindrique, col long, anses droites, contenaient environ dix-neuf litres. D'après la quantité récupérée, plus de mille, elles représentaient le gros de la cargaison mais, comme les amphores gréco-italiques étaient plus profondément enfouies dans le sable, il se peut que beaucoup de celles-ci nous aient échappé.

M. Benoit a classé les amphores italiques en deux groupes principaux variant légèrement de profil et portant des marques différentes.

La grande majorité porte la marque de Marcus Sestius: S E S suivie d'une ancre ou d'un trident. Les amphores de la famille Sestii, bien connues dans le Sud de l'Italie, ont été trouvées un peu partout en Europe occidentale et, en mer, sur d'autres épaves que la nôtre.

Dix-sept amphores d'un autre groupe portent une marque où se lit D A V ATEC, que M. Benoit interprète ainsi: D serait Décimus. AV pourrait être l'un des noms de famille suivants connus en Campanie: AU (fidius), AU(relius), AV(ianus), AV(illius), AV(illianus). L'emploi abusif des rébus d'initiales n'est pas réservé aux temps modernes. ATEC(chnos) serait le surnom de consonance grecque de l'esclave attaché au domaine, vigneron ou potier.

Il nous paraît certain que toutes les amphores, trouvées pleines d'un sable vaseux, avaient contenu du vin, bien qu'aucune trace ne s'en soit révélée à l'analyse.

Nous n'avons trouvé que très peu d'opercules. Une amphore italique avait conservé un opercule à quatre cachets, comme on en a vu quelques-uns à la Chrétienne. Un opercule d'amphore de Marcus Sestius, encore déchiffrable, portait: L.TITI.CF.

La vaisselle campanienne récupérée au Grand Congloué s'élève à plus de six mille pièces. Nous l'avons constamment trouvée parmi les amphores, sans pouvoir dire comment elle était disposée, si ce n'est que des piles de vaisselle intacte se trouvaient souvent dans un chaos d'amphores cassées. J'ai fait la même remarque sur une épave de l'île du Levant où des poteries campaniennes magnifiques, entre autres des grands plats, se sont conservées intactes, par lots mêlés à des tessons d'amphores. Je suppose l'emballage de cette vaisselle assez résistant pour continuer à la protéger au moment où, l'épave s'effondrant, beaucoup d'amphores se cassaient en prenant leur place définitive.

Le classement de la vaisselle a donné vingt-cinq formes différentes, avec des échantillonnages de tailles allant jusqu'à onze. Cette production massive suggère l'usine. Coupes à anses, grande variété de coupes sans anses, assiettes, plats à poisson, lampes, flacons, cruches, vases, urnes. Nous aimons particulièrement les petits récipients en forme de théière avec une tête de lion comme bec verseur, que M. Benoit appelle guttus et dit destinés à remplir les lampes à huile.

Quelques pièces portent des signes faits avec une pointe après cuisson. M. Benoit y voit les marques d'échantillonnage du négociant ou du contrôle de la douane. Des gobelets portent une inscription en grec, gravée également après cuisson, invocation à Hygie, déesse de la santé. Avec cette collection, la plus importante à ce jour se trouvait aussi un grand échantillonnage de poteries communes : coupes, mortiers, plats, terrines, petits pots, gobelets sans anses, flacons à une anse, petites cruches, jarres à provisions, urnes, marmites, couvercles.

Au début de la fouille, Bébert a monté un lourd anneau de plomb de vingt-quatre centimètres de diamètre, muni d'un tenon percé de deux trous. Ce type d'anneau se faisait aussi en pierre. Plus tard, en Crète, j'en ai vu un tout neuf sur le quai de Kersonissos. Il semble qu'ils servaient, comme maintenant, à décrocher les lignes et autres engins de pêche ou même les ancres.

A la fin de la fouille, on comptait une centaine d'anneaux plus modestes, dont le modèle le plus courant a un diamètre de huit centimètres. Les uns sont munis d'un tenon percé attenant, d'autres pas. Ces deux types ne devaient pas avoir la même fonction. On les appelle indifféremment anneaux de cargue, supposant, sans preuve, qu'ils étaient cousus à la voile pour faire coulisser les cordages destinés à réduire sa surface par mauvais temps.

Facile à fondre, résistant à la corrosion, le plomb était très employé sur les bateaux antiques. La tuyauterie était faite en plomb, la coque de certains bateaux était doublée de feuilles de plomb fixées par de petits clous de cuivre à large tête, plantés en quinconce à environ cinq centimètres les uns des autres. La tradition de doubler les coques avec du plomb semble avoir persisté jusqu'au XVIe siècle.

Nous avons trouvé au Grand Congloué des plombs de lignes de pêche, des plombs de filet pyramidaux, des plombs de sonde, des creusets en plomb à fond percé de trous dont l'usage reste mystérieux. A quoi servaient les deux coffres carrés, en bois doublé de plomb, de trente-six centimètres de côté et douze d'épaisseur, percés de trous?

Un seul jas d'ancre en plomb fut trouvé au Grand Congloué. Après avoir utilisé des ancres en pierre, le monde antique fabriqua des ancres en bois avec jas de pierre, jas de plomb, jas de bois gainé de plomb. Une pièce de plomb à trois trous rectangulaires assemblait la verge et les pattes de certaines de ces ancres. Les pointes des pattes étaient parfois faites en plomb. Il nous arrive de trouver, à côté du jas de plomb, un collier en plomb, carré, assez haut, semblable à une boîte sans fond ni couvercle, avec un trou latéral. Il paraît logique de situer ce collier vers l'extrémité de la verge, mais rien ne permet d'affirmer qu'il ne protégeait pas son talon. Les ancres de ce type n'ont pas encore été étudiées.

On trouve aussi dans la mer des ancres romaines en fer, mais leur date d'apparition reste à déterminer. La fouille du lac Némi montra la coexistence d'ancres en bois à jas de plomb, d'ancres en fer, et d'un modèle de transition en fer gainé de bois, où celui-ci ne paraît pas présenter d'avantages et devait être mis pour ne pas choquer les habitudes des marins. De même nos matières plastiques furent pudiquement cachées sous l'apparence d'autres matériaux avant d'oser avouer leur nature.

César admira des ancres en fer munies de chaînes sur les bateaux des Vénètes, en Bretagne. Les Romains attachaient encore leurs ancres avec des cordes, et il faut peut-être voir là l'une des raisons pour lesquelles ils en perdaient tellement.

Tous ces objets en plomb que nous avons montés et dont nous ne comprenons pas toujours l'usage, les clous de cuivre de toutes tailles, les quelques morceaux de bois examinés se valoriseront avec le temps, en ce sens qu'ils serviront d'éléments de comparaison pour des fouilles plus systématiques qui expliqueront leur place et leur fonction. Un objet n'a pas la même signification s'il est supposé unique et dû au hasard, ou si des fouilles antérieures permettent de le dire d'un usage courant. La grande richesse des poteries permettra de mieux dater les sites terrestres par les tessons.

Le hasard seul avait présidé à la chute du bateau. La relation entre le sol et l'œuvre humaine n'était pas voulue comme pour un temple, une ville ou même une tombe. Cette relation ne pouvait donc nous guider. En arrachant au sable vaisselle, amphores et pièces du bateau, aucune expérience précédente ne pouvait nous inspirer, nous permettre de pressentir l'extension de l'épave dans le sol. Notre acharnement en des entonnoirs ou de vagues tranchées ne pouvait conduire qu'à la confusion, je l'ai compris plus tard. Il aurait fallu faire de petits sondages autour de l'épave pour en connaître les limites, puis creuser tout autour une vaste tranchée au-delà des dernières amphores éboulées. La suceuse aurait mieux travaillé dans le sol naturel et pouvait être maniée par des mains inexpertes. Le sable aurait coulé de lui-même dans la tranchée périphérique, constamment entretenue, nous l'aurions aidé en le balayant avec la lance à eau. La montagne de poteries serait sortie du sol intouchée, nous aurions pu la photographier, la mesurer, en comprendre le désordre avant d'en modifier la structure, puis la dégager en analysant les relations de ses divers éléments.

Pour convaincre, il faut des éléments, des évidences. Si nous n'avions pas éventré cette épave, qui donc aurait voulu entreprendre la même tâche scientifiquement? Même après notre démonstration du grand intérêt présenté par une épave antique, il demeure difficile de mettre en route la science. Une recherche qui ne promet pas un potentiel financier, longue à démarrer, reste longtemps pauvre, si ce n'est toujours.

Certains journalistes, inspirés par des archéologues, ont condamné les erreurs de notre excavation. Nous, un motif essentiel nous poussait: commencer! Ce ne pouvait être fait dans le recueillement.

ANTICYTHÈRE

Austère, majestueuse dans la journée, l'île du Grand Congloué prend la nuit un aspect tragique. Le premier hiver fut supporté comme une épreuve. Jacques sentant chez les plongeurs une lassitude due à la réclusion, et des drames humains latents, nous emmène en Grèce avec la *Calypso* rechercher les traces de Marcos Sestios, au mois d'août 1953.

Harold Edgerton nous accompagne. Professeur au « Massachusetts Institute of Technology », il a conçu et fabriqué nos caméras automatiques pour grandes profondeurs. J'aime en lui cette simplicité, cette gentillesse que l'on rencontre assez souvent chez les gens de réelle valeur. Nous l'appelons « papa flash » avec un respect familier empreint de tendresse.

Louis Malle vient se familiariser avec la *Calypso*, il tournera plus tard avec nous *Le Monde du silence*. Nous partons nombreux à bord et joyeux.

Près du cap Corse, les nageoires dorsales d'une famille d'orques, longues et minces comme des faux, se prélassent à la surface d'une mer immobile et luisante. Nous voyons souvent des cétacés dans cette région.

A la nuit, nous défilons sous les pentes abruptes du Stromboli couronné d'un nuage lourd où pulsent des lueurs rouges.

Nous nous engageons le lendemain dans le détroit de Messine où les marins antiques accusaient Charybde et Scilla de guetter leur bateau pour l'engloutir. A Charybde, côté Sicile, une masse d'eau considérable coule, plate et lisse, aspirant des langues d'air qui se tortillent, s'évanouissent et renaissent. Plonger ne nous tente pas, d'ailleurs l'eau est jugée trop profonde. Le rocher de Scilla, retenu par une étroite bande de terre à une petite ville blanche, écrasée par la montagne, nous paraît bien paisible, mais sa mauvaise réputation vaut une plongée. Nous sommes environnés de poissons comme au bon temps de la Côte d'Azur, sans voir la moindre trace d'épave antique ou moderne.

Les îles de Cythère et Anticythère s'alignent au travers de la route maritime, entre la mer Egée et la Méditerranée. Nous plongerons sur la fameuse sœur de l'épave de Mahdia, à Anticythère, où les pêcheurs d'éponges de 1901 ont trouvé beaucoup de statues.

Le vent nous contraint à nous abriter à Cythère. Nous discutons longuement avec les autorités pour échapper au thermomètre médical avant de visiter l'île. Un jeune garçon baragouine l'anglais, nous l'appelons John, il ne nous quitte plus. John nous amène deux pêcheurs qui connaissent la ville engloutie dont rêve tout plongeur, et nous voilà de nouveau en mer. Détail troublant, la carte marine porte en ce point « Emplacement de l'antique Cythère ». Nous évoluons parmi des roches compactes, aux formes molles, nues, curieusement érodées. Debout sur le sable, elles dessinent de vagues murs, des trous ronds, des auvents, et tout cela parfaitement naturel.

Nous appareillons le lendemain avec notre fidèle John et mouillons à Anticythère, devant Port Potamos, hameau de petites maisons blanches, cubiques, sur une pierraille dorée, sans végétation. Cinq policiers en vert nous submergent de paroles auxquelles je ne comprends rien, sinon que nous ne sommes pas autorisés par un papier d'Athènes. Finalement ils accompagnent la *Calypso* avec deux pêcheurs qui connaissent l'épave, derrière la pointe, au pied d'une falaise d'une vingtaine de mètres. Après la ville engloutie et tant de déceptions au cours de notre vie de plongeurs, nous sommes étonnés d'être amenés aussi rapidement sur un site exploité il y a cinquante ans. Je descends seul, sous prétexte de vérifier. Une transparence exceptionnelle me fait douter du soutien de l'eau le long de la falaise qui se prolonge verticale jusqu'aux blocs éboulés cinquante mètres plus bas. Aucune trace d'épave, pourtant j'y crois. La fouille demeura le grand événement de l'île et les pêcheurs, gens de tradition, n'ont pu oublier un endroit personnifié par la falaise et non remémoré par des alignements lointains ou une vague distance en mer. Passé l'éboulis, je m'engage sur le sable en pente douce vers une masse sombre, isolée: plate-forme portant des posidonies peu touffues. Au-delà, à la profondeur de soixante-deux mètres, je suis au bord d'une autre falaise et je fais instinctivement attention en me penchant sur le vide. Après la roche verticale touffue de buissons de grandes gorgones bleuâtres, le sable à nouveau se perd dans le lointain. Mahdia m'a appris l'efficacité des pêcheurs d'éponges, je reviens en arrière. Machinalement, je tire sur une touffe de longues algues, au ras du sable, j'arrache un morceau d'amphore. De touffe en touffe, j'extrais une carafe en terre cuite avec une anse, puis une autre, et les laisse comme jalons. Plus loin, ma main ne sent rien dans le sable. Je longe les enrochements, reviens, repars. Le sol me donne l'impression étrange d'avoir perdu son aspect sauvage habituel. Je crois sentir l'épave là, parallèle à la côte sur une trentaine de mètres, car au-delà, de toute évidence, la nature n'a jamais été modifiée. En revenant vers les carafes, deux blocs moussus, parmi les derniers éboulis, attirent mon attention. Je retourne le plus petit, anormalement léger, tout rongé, il ressemble plus à une éponge qu'à une statue, pourtant sa forme rappelle celle d'un torse.

Là-haut, je dis ma certitude à Jacques, en le prévenant qu'il ne verra pas grand-chose.

Déçu par sa plongée, Jacques me demande où j'ai vu l'épave. Il a creusé, trouvé des débris empilés comme des tuiles, il n'a pas remarqué mes blocs aux vagues formes de statues. Bébert les a vus.

John nous écoute avidement, sans doute comprend-il quelques bribes de français. Il raconte que pendant la pêche des statues, les scaphandriers irrités par les exigences de leur chef ont dynamité la falaise et fait dégringoler un énorme rocher. Nous avons souvent vu les Grecs manipuler la dynamite pour pêcher et ne sommes pas étonnés, quant à l'explosif. « Le gros rocher, ajoute John, est tombé sur l'épave, c'est la plate-forme dont vous parlez, dessous il y a un cheval de bronze, des statues de femmes et de bébés. »

Je dois dire que l'histoire de John nous laisse froids, nous sommes habitués. En général c'est une vierge en or.

Après avoir ramené les gendarmes rassurés à Port Potamos, nous revenons sur l'épave et je plonge avec Girault. Nous creusons un peu partout comme des lapins, déterrons beaucoup de morceaux de poterie. Je rapporte l'une des carafes, Lallemand l'appelle olpé.

Jacques et Bébert reviennent formels quant à la roche des femmes et des bébés: là depuis toujours.

Vers le soir, l'eau profonde paraît noire, peu engageante, pourtant je vais faire encore une plongée rapide, simplement pour regarder. Dans la lumière douce qui pénètre encore, les roches ont pris un aspect sombre inquiétant, le sable est devenu plus lumineux. Je survole le décor. A la seconde falaise, la vision familière de notre chaîne de mouillage allongée sur le sable m'incite à me laisser planer vers le bas. L'ancre s'est posée à quatre-vingts mètres, près d'un cul d'olpé et un goulot d'amphore, tombés à notre époque. La chaîne guide mon ivresse lourde en sens inverse. La remontée dissipe la brume de l'esprit, je sais maintenant l'épave limitée au sable qui borde l'éboulis.

Mes camarades ont découvert une autre épave avec des amphores intactes, à quelques centaines de mètres d'ici.

***

Une douleur à l'épaule, violente comme celle d'une fracture, me tient éveillé toute la nuit malgré aspirine et soporifique. A cinq heures, sur le pont, notre capitaine Saout m'annonce une nouvelle de la radio: la ville de Zante a été détruite par un tremblement de terre la nuit même où nous passions au large de l'île dans une houle monstrueuse.

Laissant Jacques et Bébert suivre la côte au ras du fond vers Port Potamos, je vais plonger sur la nouvelle épave, malgré mon bras inutilisable.

L'eau tiède, limpide, calme la fatigue de ma nuit sans sommeil. A quarante mètres, le paysage où je plane sans effort ne prend pas l'austérité habituelle à cette profondeur, on le qualifierait volontiers de riant, ou mieux de terrestre. Il me rappelle les versants des collines de Provence où la nature livrée à elle-même a su garder un aspect civilisé. J'ai complètement oublié ma douleur. De grosses amphores massives, aux formes annonçant celle du tonneau, sont envahies par les posidonies et des concrétions épaisses, l'épave n'a pas été touchée depuis sa chute.

En remontant la pente je passe au-dessus de la pièce d'assemblage en plomb d'une ancre antique. Quelques mètres en dessous, le plomb lisse du jas ne peut se confondre avec le décor, je le gratte avec mon couteau, il brille tout de suite.

Arrivé sous le chaland, une sensation brutale dans l'épaule me révèle ce que doit être un coup de couteau, et la douleur reprend lancinante. Les bulles responsables diminuent de volume sous l'effet de la profondeur, sans avoir le temps de s'éliminer. Elles se dilatent pendant la remontée et se manifestent à nouveau. La douleur s'est atténuée au bout de deux jours, puis a disparu assez rapidement.

Les deux petits accidents de décompression de ma longue carrière se sont produits à la suite de plongées sur des épaves antiques. La plupart des plongeurs amenés paralysés au caisson du G.E.R.S., finissent par avouer leur pêche aux amphores. Plusieurs plongeurs sont morts sur des sites archéologiques. Après l'ouverture de la tombe de Toutankhamon, les superstitieux remarquèrent que les savants de l'équipe mouraient tous d'une mort pas naturelle. Je n'irai pas jusque-là pour l'épave antique. Elle empoigne par son mystère dramatique, son côté trésor, elle fait perdre au plongeur moyen un sang-froid si nécessaire en plongée. Déterrer les amphores à la main, les arracher, les manipuler pleines de sable vous essouffle dans l'obscurité du nuage soulevé. La crainte d'épuiser son air comprimé amène le plongeur à se presser en des efforts excessifs, dangereux. La cupidité de beaucoup de novices devant les centaines d'amphores accessibles leur fait oublier les lois de la plongée, lorsque, bien sûr, ils les connaissent.

Nous revenons sur l'épave d'Anticythère quelques jours plus tard, pour de petits sondages avec un tuyau de tôle légère transformé en suceuse portative. Mes camarades, par équipes de deux, dégagent des ventres d'amphores, des tessons. Quand je pars relayer les derniers plongeurs, ils paraissent minuscules, à cinquante mètres sous moi, et la falaise n'en tombe que plus vertigineuse.

J'aspire le sable par-ci, par-là, je ne dégage que des débris épars. Au fond d'un dernier entonnoir, à deux mètres des roches, l'engin bute sur la coque, parfaitement conservée, sous quarante centimètres de sable. Pas de vaigrage à cet endroit. Que les plongées sont brèves à cette profondeur !

***

Les pentes douces de l'écueil de Pori permettent une exploration en plongée libre. Bébert en revient rapidement et me prend à part. Il a averti « le Commandant » qu'ils ont vu au moins cinq cents lingots de plomb de plus de cent kilos. Il ne peut pas les soulever. Nous discutons déjà les améliorations de la *Calypso* en nous équipant à la hâte.

Bien en évidence parmi les oursins, sur la roche nue, des boulets et des lingots bleuâtres ressemblent étrangement à du plomb. J'essaie en vain de soulever un lingot, puis un boulet dont le poids ne peut justifier l'adhérence, il est soudé à la roche. D'un stock entassé dans une faille je parviens à détacher un boulet. Léger dans ma main, il disperse la fumée noire de la rouille. Jacques trace le mot « F E R » sur un lingot et voit des plaques de doublage en cuivre sous une roche. Un bateau de la marine à voile, crevé sur l'écueil, a déversé lest et munitions, puis, allégé, a dû être emporté. Nous sommes naïfs d'avoir cru qu'une cinquantaine de tonnes de plomb pourraient rester visibles au milieu de tous les pêcheurs d'éponges.

***

Enfin Délos ! Ville de marbre inattendue sur la petite île de pierraille rousse, désolée.

Nous visitons les ruines, mes camarades marchent lentement, les yeux baissés. Choqué par ce manque de curiosité, je m'approche. Ils trouvent des monnaies, pas plus grosses que des lentilles. Philippe Cousteau m'en montre une de belle taille, pour ici. Il se baisse vers une plus belle encore, quand un gardien lui fait restituer le tout, pendant que les autres s'écartent discrètement. Toute la bande relève maintenant la tête, pour admirer Délos, ou s'assurer que le gardien s'est éloigné. Bordant directement les rues étroites, les fonds de maisons étalent leurs mosaïques : figures géométriques, objets stylisés, puis deux dauphins caracolant en volutes sous un petit cavalier emporté par la course. Voici un trident entre deux S affrontés, nous sommes chez Marcos Sestios. Je cherche en vain une émotion en cette cour trop nue, après la

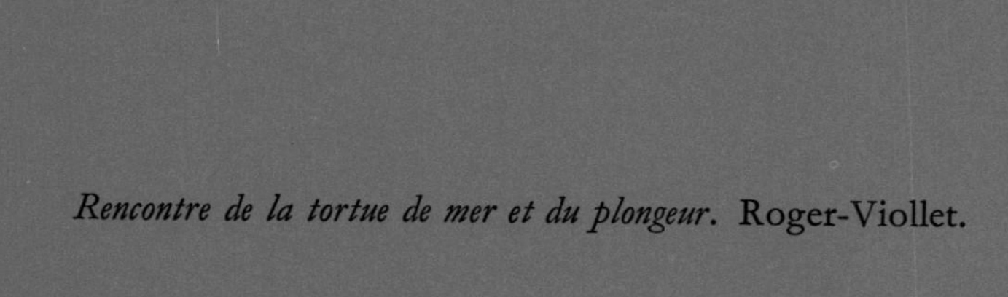

Rencontre de la tortue de mer et du plongeur. Roger-Viollet.

course marine des dauphins, la rangée de lions blancs, arrogants, et toute l'infrastructure d'une ville de plaisir étalée au soleil.

***

Nos deux chalands rapportent d'une exploration autour de l'île: un bassin de terre cuite, des cols d'amphores, un curieux jas de plomb, une coupe rappelant celles du Grand Congloué, un tuyau en plomb tenant encore à du bois. Bébert a vu sept fûts de colonne en pierre noire. Il m'emmène sur un sable peu profond, où le soleil fait encore danser sa résille de lumière, terreur des cinéastes. Quelques morceaux d'amphores épars ne m'évoquent pas une épave. La suceuse portative, sans dévorer, creuse, et je ne peux lui en vouloir de ne creuser que du sable. Bébert accroupi maintient vertical le tuyau dont s'échappe une épaisse fumée opaque, il a l'air d'allumer un poêle récalcitrant.

Pour hisser un des fûts de colonne dans le chaland, il nous faut déployer force et ingéniosité. Arrivé sur la *Calypso*, il est identifié comme le contenu durci d'un baril de ciment.

***

Athènes. Au musée, nous avons la satisfaction de constater que les grands bronzes viennent de la mer. Le Zeus ou Poséidon, daté de 460 avant notre ère, a été monté en 1928 de la rade que domine l'Artémision. Le Jockey a été trouvé sur la même épave, bien qu'étant deux cents ans plus jeune. L'Hermès, du IVe siècle avant Jésus-Christ, a été monté de soixante-dix mètres, en 1925, par le filet d'un pêcheur, en rade de Marathon.

Un socle vide s'intitule: « Ephèbe d'Anticythère, trois cent quarante avant Jésus-Christ. » Nous demandons à le voir. Le bronze a été confié à l'atelier-laboratoire où, par faveur spéciale, on nous laisse pénétrer. La tête aux cheveux courts, frisés, gît dans un panier, le chirurgien des statues nettoie les grands yeux de pierre dure. Le torse couché sur l'établi laisse voir des bandes de renfort intérieur rivées, des soudures récentes. Le nouveau directeur n'aimait pas l'attitude donnée à l'Ephèbe par les premiers restaurateurs. Les bronzes de Mahdia viennent également de la mer. Un seul grand bronze, l'Aurige Vainqueur, fait exception, caché précipitamment dans un égout de Delphes, tandis que l'ennemi grimpait les pentes à travers les oliviers pour massacrer les habitants, briser les sexes des statues de marbre et fondre des glaives avec les statues de bronze.

Depuis notre séjour à Athènes, la terre a marqué un nouveau point, au Pirée, quand une main a surgi du sol sous la pioche de terrassiers. Trois grands bronzes ont été trouvés: une Pallas Athénée, une Minerve et un Apollon archaïque. J'ai eu la chance de les voir encore couchés sur des civières, avec leur duvet d'oxyde vert, plus longs, plus vivants que figés dans un musée. Enfouis sous les cendres d'un entrepôt du port brûlé aux environs de 86 avant Jésus-Christ, époque des naufrages de Mahdia et Anticythère, ils allaient sans doute prendre la mer vers Rome.

La mer a pris sa revanche quand les pêcheurs d'éponges de Bodrum, l'ancienne Halicarnasse, montèrent dans leur chalut la moitié supérieure d'un grand bronze de la déesse Déméter, du Ve siècle avant Jésus-Christ. Revanche également quand mes amis d'Agde ont trouvé dans le lit de l'Hérault, qui prolonge la mer, un Ephèbe en bronze, d'inspiration hellénistique, auquel manquait une jambe. Ils ont longtemps cherché cette jambe à tâtons dans l'eau boueuse et, chose à peine croyable, l'ont trouvée, loin de là.

Pour nous qui arrivons d'Anticythère, la boucherie de l'Ephèbe ne suffit pas, nous demandons où se cachent les statues de marbre. Toujours par faveur spéciale, nous descendons dans une vaste cour, morgue de la statuaire antique. Appuyés au mur, entassés, renversés, des corps mutilés exhibent une peau profondément rongée, des chairs déformées, des tumeurs malsaines. Aussi martyrisés que les humains, deux grands chevaux se dressent sur leurs moignons de jambes. L'un dont la tête rapportée gît ailleurs a gardé une encolure fraîche comme au sortir des mains du sculpteur, l'autre, avec sa tête, fait mal à voir. Une Vénus cache contre le mur la hideur de sa poitrine et de son ventre rongés et montre un dos et des fesses immaculés. Au hasard de la décrépitude générale, un sein, un genou ont été respectés. Il est dommage qu'un peu plus d'imagination ne préside pas à l'organisation des musées. Ces damnés, groupés au centre d'une large salle, feraient au public une émotion violente.

La misère de ces marbres m'apporte une révélation. J'essayais de comprendre leur épave devant un sol abandonné après travail. Les sculptures n'étaient pas enfouies mais encore en relief sur le fond. Celles qui touchaient le sable ou l'avaient légèrement pénétré lors de la décrépitude du bateau, ont conservé des parties intactes. D'autres, soutenues en eau vive ou empiétant sur les roches d'éboulis, ont été complètement rongées. Le sable produit par la vie et les débris de la falaise s'est accumulé, faisant cesser progressivement la corrosion du marbre. Le cheval à l'encolure si fraîche reposait à l'envers, à même le sable, d'où le dégradé de son corps. S'il reste encore des statues dans le sable, elles doivent être bien conservées.

En 1969, je parcours à nouveau le musée et découvre les deux chevaux et quelques-unes des autres statues exposés debout, isolés, comme leurs frères et sœurs terrestres. Ils ont gardé la majesté inquiétante de la mer, mais l'effet de masse est manqué.

Une fouille complète dégagerait de petits objets passionnants, dont l'autre moitié de la fameuse horloge astronomique, machine de bronze aux engrenages compliqués qui donnait les mouvements annuels du soleil, les levers et couchers des astres les plus importants, en manœuvrant des cadrans portant les mois et les signes du zodiaque. Ce bloc de bronze oxydé, resté plus de cinquante ans dans une caisse, a été étudié récemment par Derek Price. La machine paraît trop précieuse pour un instrument de navigation du bateau, elle faisait probablement partie du trésor emporté de Grèce par les Romains. L'étude des poteries, entreprise aussi récemment, n'est pas encore terminée. Au début du siècle, les archéologues cherchaient les objets d'art. Tessons et poteries usuelles indignes de la vitrine d'un musée étaient négligés. Personne ne se demanda s'il y avait un bateau sous les statues d'Anticythère. A Mahdia, les archéologues crurent les scaphandriers quand ceux-ci dirent avoir traversé le pont pour fouiller l'intérieur du bateau. Cela laissait supposer un bateau en bon état, et l'indifférence à son égard nous étonne.

Le naufrage d'Anticythère est daté de la première moitié du siècle avant Jésus-Christ, par les poteries. L'Ephèbe datait alors de plus de deux cent cinquante ans, ce qui correspond pour nous à l'époque Louis XIV. L'Apollon archaïque du Pirée, emballé avec des statues nettement plus récentes que lui, datait alors de cinq cents ans: pour nous œuvre de la Renaissance. Le génie des Romains triomphait dans l'urbanisme et l'architecture colossale, ils n'étaient pas doués pour la statuaire. Le sol de l'Italie a révélé leur engouement pour les statues grecques, et particulièrement celles d'une époque où l'art grec avait atteint sa plénitude, et qui représentaient pour eux des antiquités. Même aux meilleures époques, le destin fait naître les grands créateurs avec parcimonie. Le désir des riches Romains devait bien souvent se contenter de copies des œuvres fameuses. Les épaves de Mahdia et Anticythère nous disent l'importance maritime du trafic d'œuvres d'art, originaux anciens ou copies, et précisent que beaucoup de copies trouvées en Italie provenaient d'ateliers de la Grèce.

***

Sur le chemin du retour, nous plongeons près de Naxos, autour d'un écueil: colline sous-marine surmontée d'un rocher. Un courant violent entraîne les algues, l'eau claire, et me porte au-dessus d'un fond monotone vers les restes d'un cargo brisé. L'attitude prise par un bateau au fond de l'eau met en relief les différentes solidités de sa structure. Coulé, le bateau offre son énorme valeur inutile et reste assez familier pour garder le drame de la catastrophe, qu'égayent, même dans les fonds déserts, des vols de poissons, des excroissances de vie et des algues riches. Plus que tout dans la mer, l'épave donne au plongeur la mesure de sa conquête de l'espace. Il retrouve le long des mâts le vol de ses rêves, sans en redouter la chute finale. Il plane au-dessus de ponts inclinés, franchit d'un seul élan le laborieux trajet des échelles vers les passerelles où l'on se cramponnait naguère contre le roulis.

J'avance lentement, luttant contre les fantaisies du courant autour de tôles debout. L'avant, en meilleur état, est appuyé sur le rocher de crête, ménageant un vide sous la coque d'où sort un troupeau de poissons. Je m'engage dans ce tunnel à l'abri du courant et découvre, sous le cargo, les amphores cassées d'une épave antique.

Fin août, nous prenons la passe étroite, gardée par la petite ville fortifiée de Navarin. En 1827, dans cette rade circulaire appuyée à des montagnes étagées, protégée du large par la haute falaise blanche et nue de l'île Sphactérie, une flotte de vingt-six navires anglais, français et russes — vaisseaux, frégates, corvettes et bricks — anéantit plus de cent navires turco-égyptiens qui pillaient la Grèce. Sous l'épaisse fumée des brûlots, des navires en feu, des coups de canons dont les boulets tombaient parfois sur les amis, ce massacre préludait à la libération de la Grèce suffoquant sous l'emprise musulmane.

Les relations des divers amiraux décrivent les navires turco-égyptiens explosant sur place comme des pièces d'artifices ou se jetant en flamme contre l'île Sphactérie.

Depuis que le fond de la mer est devenu accessible, le récit d'une grande bataille navale, de Salamine à Trafalgar, a pris un goût plus savoureux. Ici gisent les trésors du pillage et les canons de bronze : la *Grande Sultane*, capturée, en alignait cinquante-quatre. Ici je vais voir quel souvenir d'un grand carnage de bateaux garde la mer.

Nous allons nous renseigner en ville. Un homme inoccupé nous aborde en mauvais anglais et nous conduit chez un pêcheur qui nous guidera vers les épaves les plus riches. Les petits bateaux comme la *Calypso* n'ont rien de prévu pour s'asseoir hors du carré, et la station debout donne à la longue des fourmillements dans les jambes qui font du plaisir de marcher un besoin. Quand nous revenons chez le pêcheur, il n'est plus là. Un jeune nous accompagne au fond de la baie.

Sous vingt mètres d'eau couleur de café au lait délayé où les yeux portent à un mètre, Bébert et moi cheminons au ras d'une vase à l'aspect onctueux, chacun en tête du nuage soulevé par les nageoires, nous attendant à buter dans l'enchevêtrement d'une coque à trésor.

Quand l'ennui nous fait regagner la surface, nous nous dirigeons vers l'île Sphactérie. L'eau nous paraît presque claire. A partir de six mètres, la forte pente rocheuse disparaît sous le plus incroyable amas de bois pourri que l'on puisse imaginer : grandes poutres, poutrelles, éclats, débris. Des clous gainés de bois saillent à travers les algues. Je soulève d'énormes poutres étrangement légères où les tubes blancs des tarets tracent leur grouillement vermiculaire. J'envoie, par jeu, ces poutres dévaler la falaise en des volutes de vase. Un pli de la roche se dégage du chaos. En le ventilant à la main, je soulève une vase noire, puis blanche, mêlée de bouts de fer à l'état de rouille. Devant une telle abondance de bois j'espère trouver les coques plus bas. La brume éteint peu à peu l'eau où je m'enfonce sans voir une forme de bateau, ni même un désordre logique, sans comprendre si l'enchevêtrement est dû à la forte pente ou à des scaphandriers. A quarante mètres, les dernières roches se dégagent du magma dans un crépuscule triste, la plaine de sable s'étend nue, sans souvenir du drame.

Je remonte en zigzag le long de la falaise. Sur des centaines de mètres elle ressemble à une coupe de bois abandonnée.

La *Calypso* va appareiller, les trésors ne sont pas pour nous, Jacques n'a pas le temps.

***

Nous explorons les eaux siciliennes par plongeurs qui se relaient, entre le cap Passero, pointe sud de l'île et le cap Murro di Porco, près de Syracuse. Nous suivons les bulles avec le chaland. Sur cette pente très douce, le plongeur voit une petite bande d'un vaste territoire accessible. Nous allons de l'avant, pour estimer la densité des vestiges. Dans la journée, sur un parcours de cinq kilomètres, nous trouvons de tout: minuscule jas de plomb avec pièce d'assemblage, éléments d'ancres, en plomb, que nous ne connaissons pas, pierres taillées de formes diverses, amphores carthaginoises au large rebord plat, entières, débris d'amphores variées tout le long de la route, et une grande pierre plate à quatre lobes percés, avec un trou central de grand diamètre. Une expédition sous-marine, scientifique, autour de la Sicile, récolterait des renseignements considérables.

LE PANAMA

En plus des tâches précises exigées par la marine, nous faisons souvent des plongées d'entraînement, pour lesquelles notre plaisir devient un facteur important. Nous aimons particulièrement le spectacle des épaves, leurs souvenirs et leurs langoustes.

Tailliez commande maintenant un bateau, il garde beaucoup de tendresse pour le G.E.R.S. et vient souvent nous rendre visite. Il a pour ami un pêcheur de Toulon qui prend dans ses filets de vieux morceaux de bois avec de gros clous de cuivre, à un endroit qu'il appelle « le Panama ». La légende veut qu'une frégate anglaise ait coulé par là en 1811. Les pêcheurs observent les petits fonds de père en fils avec leur seau à fond de verre, ils tâtent les régions plus profondes avec leurs filets qui remontent parfois des poteries, des morceaux d'épaves, avec leurs chaluts qui en remontent plus souvent encore. Sans connaître le fond de la mer aussi bien que les scaphandriers qui ramassent les éponges, les pêcheurs pourraient nous indiquer bien des épaves anciennes ou antiques, mais ils se méfient de nous.

En novembre 1963, Tailliez a su convaincre son ami de venir sur l'*Elie-Monnier* pour lui montrer où se trouve le *Panama*. Après bien des déboires, nous ne nous fions plus aux renseignements oraux, si précis soient-ils, et nous préférons de beaucoup aller sur place avec le pêcheur. Lorsqu'il dit « c'est là », nous prenons des repères sur la côte, faisons encore un petit tour et repassons discrètement sur nos repères. Si le pêcheur dit encore « c'est là », nous mouillons une bouée.

Les plongeurs rapportent une barre de cuivre de soixante centimètres que gaine un fourreau de bois préservé par l'oxyde.

Ils font des commentaires indécis : l'un a vu des grilles à plat, des barres et des choses pourries, un autre a trouvé des plaques de doublage en cuivre. Leurs dires ne concordent pas, ils se demandent s'il y a une ou deux épaves.

Un mois plus tard, j'y vais avec l'*Elie-Monnier*. Le sondeur à ultra-sons indique une profondeur de cinquante-cinq mètres et dessine sur son graphique un décrochement à peine visible, d'environ un mètre de haut.

Ortolan, commandant du bateau, mouille et envoie deux plongeurs vérifier que la corde lestée tombe en vue de l'épave. En eau profonde, un commandant même très habile ne parvient pas toujours du premier coup à mouiller de façon à se retrouver au-dessus d'un point déterminé, lorsque le bateau se sera stabilisé. La chaîne de mouillage doit être bien plus longue que la distance du fond, vent et courant poussent souvent vers des directions différentes, et leurs irrégularités se combinent pour faire prendre au bateau des positions imprévues. Or, à cette profondeur, nous descendons sur une corde lestée et tenons à la retrouver en fin de plongée pour faire une remontée contrôlée, évitant les accidents de décompression. L'épave nous fournit des repères pour revenir à la corde. Quand nous arrivons sur un fond nu, nous faisons un petit tour limité par la hantise du retour, et souvent nous ne voyons rien.

Nous sommes juste au-dessus, les plongeurs disent qu'on voit tout un bric-à-brac.

Je plonge, très excité. Le rhume qui me gênait ces jours-ci, à peine guéri, m'a laissé une oreille réticente à la pénétration de l'air comprimé, et qui freine ma descente. L'oreille, notre seul organe mal adapté à la plongée, nous cause bien des ennuis et peut interdire l'eau profonde à certains individus.

L'eau est encore agréable à cette époque de l'année, je ne la trouve pas très claire, il a beaucoup plu cet automne. Main sur main, je descends le long de la corde, m'arrêtant un instant pour déboucher mon oreille. Voilà la couche froide et transparente. L'ambiance s'éclaire, j'arrive près du fond. On y voit bien, mais dans la lumière d'une heure tardive sous un ciel de pluie. Je nage au-dessus d'un amas de vieilleries monochromes. Deux longues poutres de fer en travers de l'épave vont me servir de repère. Des langoustes agitent leurs cornes. Je ne suis pas descendu pour cela, pourtant j'ai accroché mon filet à la ceinture. Sans intention de récolte, pour voir si ces langoustes sans abri se laissent attraper facilement, j'envoie la main, rate. Enervé, je me tortille dans tous les sens pour présenter la main sous le bon angle. Mon filet se remplit, l'eau devient jaunâtre, j'avance pour y voir. Ma tête tourne, je ne sais plus où je suis, j'arrête toute activité. La chaîne de l'*Elie-Monnier* fait un tas noir empanaché de vase, qu'aucun courant n'entraîne. Je retrouve les poutres de fer, pars dans l'axe de l'épave, vaste, plat. Des plaques de doublage tenant encore à du bois bordent un côté du site, au ras du sol. De quelques reliefs, rendus informes par les encroûtements de vie marine, ne se dégage aucune impression d'ensemble. Je passe plusieurs fois près d'une poupée de cabestan, peut-être pas la même, j'arrive sur un énorme guindeau à plat. Au-delà, l'épave se rétrécit et devient étrave, ou plutôt le « brion », partie où l'étrave se courbe pour rejoindre la quille. Cet avant me fait plaisir, il m'explique le chemin parcouru. Doublé de cuivre, saillant au-dessus d'une dépression, il gîte légèrement sur bâbord. Les épaisses parois de la coque, rongées par les tarets, forment un triangle en relief, plein de gros clous de cuivre tombés quand le bateau s'est pourri. Je reviens sur mes pas, survole deux grosses chaînes couleur de vase qui forment un V, passent à travers des écubiers à plat, et je retrouve le guindeau. Des formes longues, peut-être de gréement, sont couchées sur bâbord. L'avant a dit vrai, le bateau reposait légèrement incliné de ce côté. Vers l'arrière, une autre forme longue pourrait représenter un mât, mais son extrémité pointue montre des lamelles de liège, pas d'époque. Pendant le palier de décompression sur la corde lestée, je mets en ordre les images entrevues, repasse les impressions fugaces que je rapporte de ce monde ivre. Cette épave forme un plateau de dix à quinze mètres de large et plus de soixante mètres de long, qui s'arrête assez franchement sur la plaine nue. On voit surtout de la vase, pourtant on sent le bateau là, pourri, aplati. J'ai vu beaucoup de tuyaux. Trop pour un voilier de 1811.

Tout fier, en grimpant sur le pont, j'annonce qu'il s'agit d'un grand bateau en bois, doublé de cuivre, et qu'il gîte sur bâbord. De l'eau coule de mon vêtement étanche, par un trou à la jambe. Je me souviens d'une brusque sensation de fraîcheur, quand j'attrapais une dernière langouste, le filet plein tenu entre les genoux. On ne sent pas beaucoup le froid à cinquante-cinq mètres et l'on nage mieux avec de l'eau dans ce vêtement, qui se plaque fortement sur un lainage sec.

Les plongeurs suivants voient une torpille d'exercice, voilà l'explication de la forme longue entrevue. On pense peu à cette profondeur. En fait, nous sommes dans l'axe du champ de lancement. Ortolan a examiné les maillons de la chaîne: à étai, longs de trente centimètres. Bézaudin remonte un hublot, lourde pièce de bronze avec une petite lentille de verre dont une face est plate, nette, brillante, l'autre bombée, dépolie, sans doute pour que le soleil ne mette le feu derrière le hublot. Enfin un objet précis, sentant la vieille marine. Le voyant sur le pont, je me souviens en avoir survolé, posés sur le sol, sans les reconnaître. Je n'aurais pas dû ramasser ces langoustes. J'affirme que ce hublot vient de tribord et s'est posé lors de l'effondrement de la coque pourrie.

Nous voilà très excités par cette épave, quel âge a-t-elle? Anglaise ou française? Et tous ces tuyaux avec des raccords boulonnés? Et les canons? Nous n'en avons pas vu.

Un amiral en retraite, spécialiste de la marine à voile, dit à Ortolan que notre hublot éclairait l'entrepont sous les batteries, au ras de l'eau, et que la présence de chaîne à étai de cette taille dénote un vaisseau de premier rang portant quatre-vingts canons et datant de 1840 à 1850.

Plus excités que jamais, nous retournons sur les lieux. Je fais placer des bouées de dix en dix mètres, en suivant l'axe de l'épave. Chaque bouée porte, à trois mètres du fond, un numéro pour nous dire où nous nous trouvons dans l'eau troublée par nos passages et nous permettre de situer les objets reconnus. La huitième bouée tombe sur l'arrière: soixante-dix mètres de long, la taille d'un vaisseau.

Pour comprendre, dans la grisaille du fond je suis le contour de l'épave. Je passe près du cabestan, car c'en est bien un, avec ses chaînes se perdant dans le lointain. Le bateau était mouillé. Mauvais signe. Par endroits, la tranche massive de la coque soutient le sol du plateau, elle-même soutenue par une pente de vase. Je tâte le sol: de la vase, l'épave est pleine de vase soutenue par du bois pourri. Sur l'arrière net, en arrondi, notre ancre en labourant a déterré un moignon d'étambot. Pas le moindre canon, pas même l'impression qu'il pourrait s'en trouver sous la vase. Nous montons un autre hublot encroûté d'un calcaire verdi par le cuivre. Je le gratte machinalement, des lettres paraissent: II AV T, numéro deux, avant tribord. Du français! Je m'attaque au hublot précédent: VI T. Je suis très fier de ce tribord qui confirme mes dires.

Le lendemain, dans l'espoir de trouver des canons, je

descends la suceuse portative au centre de l'épave. Hélas, sa gueule s'applique sur la vase et rien ne se passe. Cette vase ne coule pas, je la palpe, la sens compacte comme de la glaise. J'essaie de cogner le sol avec la suceuse. Tel un emporte-pièce elle découpe des mottes rondes et se bouche, c'est sans espoir. Et puis, qu'espérer? Je suis découragé par l'étendue de cette épave, sa profondeur.

De retour à Toulon, un autre spécialiste contacté par Ortolan nous donne des précisions, définitives. Le *Panama*, car c'est bien lui, fut commandé le 1er février 1841 comme le onzième d'une série de douze frégates à roues. Lancé en 1843, avec pour caractéristiques: longueur à la flottaison 69 mètres, largeur à la flottaison 12,10 m, creux 6,5 m, déplacement 1873 tonnes, il fut rayé des listes en novembre 1871 et conservé vingt-quatre ans comme ponton servant de caserne des isolés. En juillet 1895, il fut définitivement condamné et mis à prix dix-sept mille francs, pour être vendu aux Domaines. Avant la vente il devait servir de but pour des expériences de tir faites avec le torpilleur la *Dragonne*, sur lequel on avait installé à cet effet un canon de 55 « court guerre ». La marine dut éprouver une ambiance de meurtre car elle bourra le *Panama* de barriques vides, pour qu'il flotte quand même.

Le 3 novembre 1896, les matelots de la Direction du port de Toulon, obéissant à des ordres supérieurs, mouillèrent le navire en rade des Vignettes, à deux mille trois cents mètres dans le sud-est de la batterie basse du cap Brun.

Le soir même, la *Dragonne* tira vingt-huit obus lestés, sur les trente coups prévus par les techniciens car, en ayant encaissé vingt et un, le *Panama* donnait des signes de faiblesse. Le vent fraîchit soulevant la mer, la journée était terminée.

Le lendemain le *Panama* reposait sur le fond, il avait coulé seul, la nuit. Le vétéran avait péri par les armes, mais sans gloire, de la mort des abattoirs.

De cette énorme masse de chêne, doublée de cuivre, avec des parois épaisses, rivées par une multitude de barres de cuivre, cinquante-sept ans plus tard, il ne reste qu'un léger plateau de vase portant quelques formes concrétionnées, et cet aspect actuel doit remonter à très longtemps. Voilà le chaînon qui me manquait pour comprendre les épaves antiques. Je m'étonnais devant les poteries du Grand Congloué, corrodées à la surface de l'épave, intactes dans le sable, devant des fonds de coque conservés sous des bateaux en majeure partie disparus. Je ne comprenais pas cette conservation car je pensais à une décrépitude échelonnée, en eau vive, sur de nombreux siècles. Un mystère de plus dans la mer n'était pas fait pour me surprendre.

Maintenant je comprends. Rongées par les tarets, pourries, les parties hautes s'effondrent rapidement, protégeant de leur vase les parties basses. L'épave prend très vite sa forme stable, définitive, de tumulus.

LE DRAMONT

En 1959 se présenta une occasion inespérée de vérifier sur une épave reposant par fond homogène, certaines théories que j'avais entrevues.

Voisine du cap qui la désigne, l'épave du *Dramont* fut découverte en 1956 par Santamaria, solide plongeur qui s'est rapidement intéressé avec bon sens et discernement aux vestiges engloutis. L'épave se présentait alors comme un grand bloc en forme de bateau, en relief sur le sable, masse compacte d'amphores soudées par une épaisse couche de concrétions presque continue.

La partie hors du sable fut exploitée par le Club d'exploration sous-marine de Saint-Raphaël. Les amphores récupérées offraient une grande richesse de marques et appartenaient à plusieurs types dont le synchronisme pose un problème. Ce même problème rencontré au Grand Congloué donne l'impression que les épaves apporteront longtemps des précisions fort utiles pour la classification des amphores. L'épave date du Ier siècle avant Jésus-Christ. Elle fut visitée à plusieurs reprises par des pilleurs et même, dit-on, dynamitée.

M. Benoit a obtenu de maigres crédits du Centre national de la Recherche scientifique et de la Direction de l'architecture, il propose de faire une fouille partielle de l'épave du *Dramont*, si riche en marques d'amphores et qui paraît l'une des mieux conservées.

Je pense trouver une partie importante de la coque en relativement bon état, et propose une tranchée en travers de l'épave pour en examiner une coupe, ce qui n'a jamais été fait.

Cousteau met à la disposition de M. Benoit l'*Espadon*, seconde unité de sa petite flotte, ancien chalutier long de dix-huit mètres, large de quatre. Il offre également le concours de l'Office français de Recherches sous-marines qu'il a créé à Marseille avec les meilleurs spécialistes des problèmes de la plongée et des travaux sous-marins.

Le 9 août, après une conférence à Saint-Raphaël avec M. Benoit, nous allons sur l'épave, située à environ quatre-vingts mètres d'un écueil affleurant la surface, où la mer brise par mauvais temps. Cet écueil fait partie du socle rocheux de l'île d'Or. Nous le soupçonnons d'avoir provoqué le naufrage de notre bateau romain et d'avoir fait d'autres victimes, comme l'autre épave avec des blocs de marbre. Par la suite, quatre épaves antiques ont été découvertes autour de cet écueil, la plus éloignée se trouve à environ un kilomètre dans la direction où souffle le vent d'est.

Nous nous mettons à l'eau près de l'écueil, dans un paysage de grandes roches moussues, coupées de failles profondes. La pente nous conduit vers une dernière falaise appelée ici « tombant ». Bien connus des plongeurs et des pêcheurs, les tombants leur paraissent des endroits un peu mystérieux. Nous trouvons parfois à leur pied des ancres antiques dont la corde a frotté sur l'arête de la falaise et s'est coupée. Au-delà de ce tombant, quelques maigres touffes de posidonies font sur le sable une prairie rachitique qui s'arrête à trente-cinq

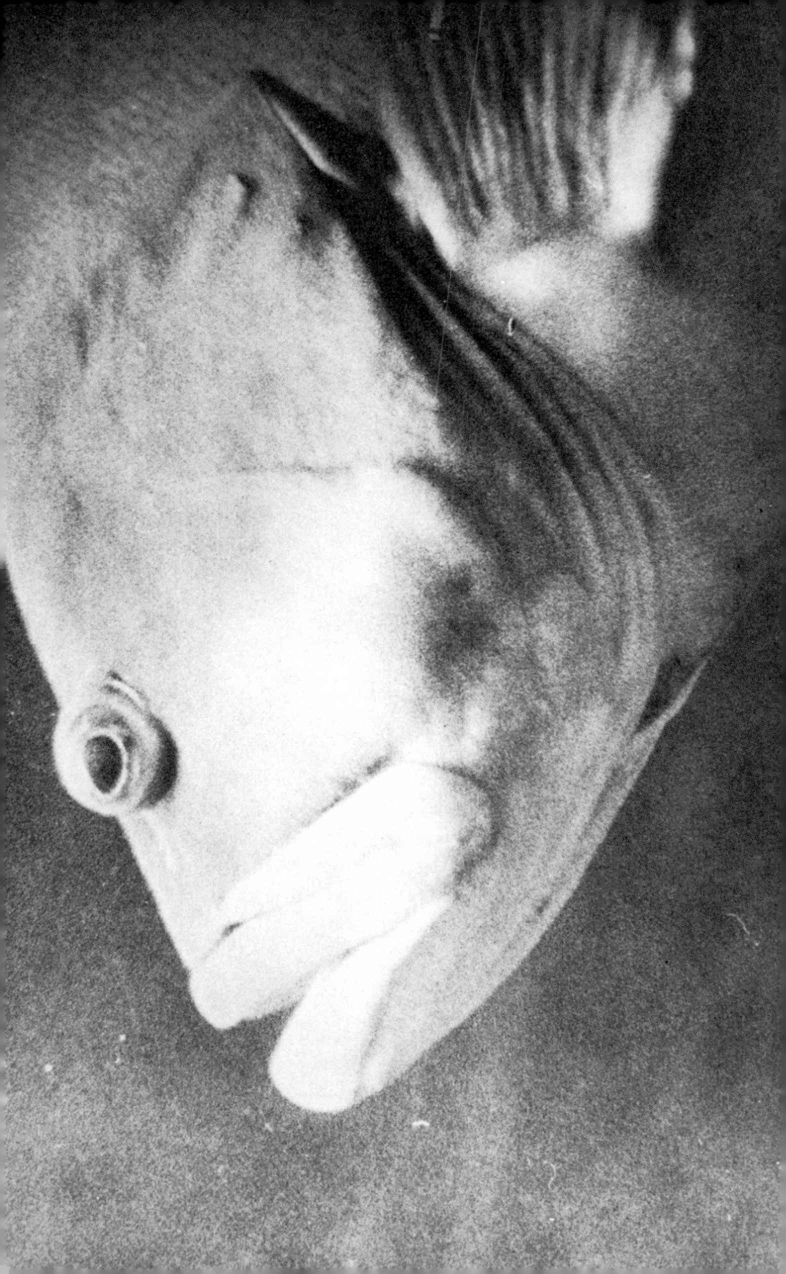

Le mérou de la crevasse, familiarisé,
nous regarde travailler, sa tête à cinquante centimètres
de la nôtre. Atlas-photo.

mètres de fond, où commence l'épave. Son axe suit la pente du sable, et la profondeur atteint trente-neuf mètres à l'autre extrémité. Le gisement s'étend sur trente mètres de long, neuf de large. Ce n'est plus le beau spectacle décrit par Santamaria, mais un chaos de panses, de cols, de tessons, nus et tristes, un dépotoir. Seul subsiste un petit bloc d'amphores soudées pour témoigner de la beauté passée de l'épave.

L'endroit relativement abrité permet de travailler par vent modéré. Le mistral qui nous a tellement gênés au Grand Congloué souffle rarement ici, l'*Espadon* pourrait rester sur les lieux plusieurs jours. Il paraît plus agréable de revenir chaque soir à Saint-Raphaël, à une demi-heure de route. Installer la suceuse le matin et la relever le soir ferait perdre du temps. Je conseille de l'immerger à poste fixe, soutenue par un gros flotteur à l'abri des vagues sous la surface. Je désire enlever la couche d'amphores déplacées et cassées, pour commencer les travaux sur un sol net où tout est *in situ*, comme disent les archéologues.

L'*Espadon* arrive le 15 août. On installe un mouillage fixe en ceinturant deux roches par un câble d'acier faisant patte-d'oie. Deux ancres lestées par cinq cents kilos de gueuses sont mouillées dans la direction opposée, écartées de cent mètres. Tenus par la patte-d'oie et les ancres, nous pouvons nous maintenir au-dessus du site dans toutes les conditions.

Environ deux cent cinquante amphores cassées sont réparties en sept tas autour de l'épave. La tranchée projetée est tracée en travers du site, au centre de sa partie visible. Elle passe près du bloc d'amphores soudées que nous garderons comme témoin. La suceuse de cent vingt millimètres de diamètre intérieur est installée avec un ancrage de gueuse, contre le bloc d'amphores.

Mon temps étant pris par le G.E.R.S., je ne peux pas venir aussi souvent que je le voudrais. Cousteau, nommé directeur du Musée océanographique de Monaco, a demandé à notre ami Alinat de le seconder. Je m'entends très bien avec Alinat qui vient aussi de temps en temps, et les rapports précis des plongeurs me permettent de suivre et d'orienter les travaux. Les plongeurs permanents font partie des professionnels de l'équipe Cousteau. Chaque jour des visiteurs donnent un sérieux coup de main.

Au début, l'eau très claire nous permet un travail efficace et conscient. Plus nous remuons le sol, plus le nuage de vase monte rapidement, s'étend plus haut et plus loin. Le fort courant promis par les plongeurs locaux ne se manifeste pas cette année. Pour voir le chantier, il faut descendre le premier, le matin, ou après la pause du repas de midi. Les gros travaux s'effectuent sans visibilité, le temps presse, les crédits et le personnel technique sont insuffisants pour consacrer à cette fouille, pourtant partielle, tout le soin voulu. Pourtant nous savons où nous allons, nous nous sentons maîtres de la situation et en net progrès sur le Grand Congloué.

J'ai été gêné par la vase sur presque tous les chantiers archéologiques et je pense que l'on sera amené un jour à créer un courant artificiel en disposant des ventilateurs étanches sur le fond.

Les plongeurs vont par deux, l'un manie la suceuse, l'autre retire les poteries. La vase impalpable emportée vers le ciel avec les autres matériaux s'étale en surface en une nappe que le moindre courant entraîne. Lavés pendant leur chute, coquilles, concrétions et sable retombent sur nous sans troubler l'eau, comme au Grand Congloué. Fort heureusement ils se dispersent légèrement.

Des rougets de taille très comestible fouillent en permanence la tranchée, affairés, comme pour nous aider. De jolis poissons blancs nous entourent. Je suis toujours étonné du peu de temps nécessaire aux poissons pour être pris de terreur salutaire ou devenir nos amis, suivant notre attitude.

Fin août, le bois de la coque paraît par plaques au fond de la tranchée, mou, délicat. Heureusement les plongeurs manient la suceuse avec précaution. La première couche d'amphores laissait espérer une belle apparence de la cargaison, celle-ci ne se confirme pas partout. Par endroits nous constatons du désordre et de la casse, mais notre hâte ne nous permet pas d'en déceler la raison. Sur l'un des flancs de la tranchée, on voit distinctement la façon dont les amphores étaient arrimées dans la cale, en trois couches verticales, imbriquées comme à la Chrétienne et sur bien des épaves. L'ensemble de la cargaison s'est tassé et étalé lorsque la coque a cédé. La plupart des amphores sont inclinées ou couchées vers le sud, direction dans laquelle le bateau devait pencher.

Alinat et moi nous intéressons particulièrement à l'architecture du bateau et nous cherchons en vain la quille. Je crois la voir un jour, mais ce n'est qu'une serre de quatre centimètres d'épaisseur et vingt-cinq de largeur. Elle diffère du vaigrage ou plancher intérieur, fait de planches de trois centimètres d'épaisseur, cassées entre chaque membrure par le poids des amphores. Une autre serre paraît mais toujours pas la quille. Les membrures, en bon état, toutes identiques, varient en hauteur de huit à neuf centimètres et en largeur de douze à seize. L'espace entre membrures dépasse à peine la largeur d'une membrure sur cette coque à double bordé, de sept centimètres d'épaisseur totale. Chaque couche de bordé est munie de languettes de bois encastrées dans les tranches des planches et clavetée par une cheville de bois, selon le mode de construction classique à cette époque. Nous ne trouvons pas trace de doublage en plomb. Le fait que certains bateaux antiques en étaient munis et d'autres pas, n'a pas été encore expliqué.

Au fond de la tranchée, l'examen de la coque est rendu malaisé par le moindre mouvement qui trouble l'eau et fait couler le sable des parois, malgré la faible pente que nous avons dû leur donner. Nous avons déjà remarqué à la Chrétienne et au Grand Congloué que le sable coule de très loin dans une excavation, jusqu'à trouver sa pente d'équilibre. Un trou dans le sable prend de lui-même la forme d'un entonnoir.

A sept cents mètres de nous, à l'abri des pentes de roche rouge du cap Dramont, un repli de la côte forme le petit port du Poussail. La pinède qui le borde héberge les tentes multicolores d'un vaste camp international d'où déferle une horde de jeunes plongeurs allemands, belges, suisses, roses et grassouillets, affamés de souvenirs de plongée et particulièrement de souvenirs archéologiques. Ils font subir aux épaves des environs des fouilles clandestines, acharnées.

Vers la fin de la journée, nous les voyons arriver à la nage, par petits groupes, poussant devant eux les matelas pneumatiques portant leur équipement de plongée. Ils atterrissent sur l'île d'Or et s'installent au bord de l'eau, assis en rang d'oignons, pour attendre patiemment le départ de l'*Espadon* et prendre notre suite dans un but coupable. D'autres, plus craintifs du gendarme, mais plus audacieux plongeurs, viennent la nuit, et nous trouvons le lendemain une lampe étanche ou d'autres instruments perdus. J'ai laissé la consigne d'enlever le soir toute amphore intacte, pour éviter d'encourager les pilleurs. Malgré ces incursions tardives ou nocturnes, nous montons beaucoup d'amphores que nous vidons sur la plage avant. Dans le sable vaseux, mêlé de coquilles, qu'elles dégueulent, nous trouvons des morceaux de charbon de bois qui devaient favoriser la conservation du vin.

Un jour, dégoûté par la vase en suspension qui masque tout le chantier, je pars dans la direction de l'épave aux blocs de marbre. J'aperçois la zone sombre du tombant devant laquelle se précisent trois blocs rectangulaires, énormes dans le glauque de l'eau. Devant eux, deux longues pièces de bois affleurent le sol. Je chasse le sable le long du bois et vois les languettes classiques dans un restant de bordé. Pas de poteries. Même après un sérieux pillage, un transport d'amphores aurait laissé des tessons.

L'*Espadon* au mouillage sur l'épave roule sans cesse, même par beau temps. Son roulis sec et rapide vous secoue et fait crisper tous vos muscles, il paraît difficile de s'y habituer. Le soir, rompus, nous mettons pied à terre avec délices. Bien entendu ce roulis perpétuel s'accentue quand la mer est mauvaise, et cette perspective fait reculer bien des visiteurs douillets.

La tranchée a atteint maintenant sept mètres de long. Très vaste en haut, elle n'offre qu'un mètre de large au niveau de la coque, bien visible. Toujours pas de quille, pourtant nous avons sûrement coupé l'axe du bateau. Le fond de coque, aplati d'un côté, se relève légèrement de l'autre. Pas de différences notables entre les couples et pas de contre-quille.

Comme prévu, nous découpons avec une égohine une bande de coque large de cinquante centimètres, pour continuer à creuser et bien dégager la coupe de la coque.

Nous sommes étonnés de trouver encore quelques amphores sous la coque. Ont-elles quitté le bateau qui coulait et atterri sur le fond avant lui? Se sont-elles échappées par une brèche avant l'aplatissement final? Pour répondre, il faudrait avoir le temps et les moyens de fouiller tout le site en notant la position dans l'espace de chaque amphore, chaque tesson.

Nous voyons une forte pièce de bois blanc, en partie rongée par les tarets, plaquée sous la coque. Nous pensons à la quille bien que cette pièce n'en ait pas l'apparence.

Le 19 septembre, j'arrive à Saint-Raphaël comme l'*Espadon* rentre au port. Les plongeurs ont trouvé la mer trop forte pour travailler. Alinat arrive, puis M. Benoit. J'apprends que la pièce de bois est un galbord, première planche de la coque, plus épaisse que les suivantes et taillée pour faire la liaison avec la quille. Celle-ci est réduite à l'état d'éponge que le moindre mouvement de l'eau emporte. Mes camarades ont découvert une grosse contre-quille dans l'une des parois de la tranchée. Je ne comprends pas. Une contre-quille est fixée par-dessus la quille sur toute la longueur de celle-ci, or nous n'avons pas vu de contre-quille au fond de la tranchée. Je demande à aller voir, malgré l'état de la mer.

Houle gênante, vent modéré. Je plonge avec Alinat et Riquet. La contre-quille, très grosse, en bois dur bien conservé, saille du flanc oblique de la tranchée. Elle n'est pas cassée, son extrémité, taillée en arrondi à mi-hauteur, se détache sur une base rectangulaire comme pour arrêter la pièce avec élégance. De l'autre côté de la tranchée, les galbords massifs encadrent un vide d'où je retire une pulpe inconsistante, restes de la quille. Au-dessus de l'emplacement de la quille, les membrures s'épaississent légèrement et forment des varangues si peu prononcées qu'un restant de sable nous avait masqué cette particularité marquant l'axe du bateau.

Avec une grande égohine achetée pour cela le matin même, Alinat et Riquet scient furieusement la contre-quille, se relayant depuis un bon moment dans un nuage. Le travail n'avance plus. J'essaie l'égohine dans le bois à moitié entamé, le sable pénètre dans le trait de scie et empêche l'instrument de progresser. Mes camarades me reprennent l'égohine avec entêtement. Dans l'espoir de casser la pièce au trait de scie, je m'accroupis devant son extrémité, cale bien mes jambes dans la tranchée, glisse mes mains sous le bois et soulève de tous mes muscles. Le corps ne pesant rien dans l'eau on déploie ainsi une grande force, lorsque les mains peuvent tenir la prise. Le bois ne paraît pas bouger, pourtant, à un mètre de là, de petits trous dans le sable font une légère fumée, signe que ma traction décolle lentement la pièce. Je force longuement, relâche pour reprendre. Il se crée ainsi des mouvements d'eau autour du bois enfoui, qui aident à le décoller. Cette même méthode est utilisée pour arracher au sol une amphore. Les petits trous fument de plus en plus, le sable s'anime tout autour, mes camarades scient toujours. Brusquement le sable se soulève en masse et coule sur les flancs noirs de la pièce qui émerge du sol. Elle a cassé bien au-delà du trait de scie. Alinat manque d'air et remonte. Riquet me regarde, interrogateur. Un geste suffit. Il va chercher le bidon où un peu d'air allège la buse de la suceuse, l'amarre à la contre-quille, souffle dans le bidon en y faisant cracher son embout buccal. Nous accompagnons l'ascension dans une vaste traînée jaunâtre et sinueuse.

Nous avons prélevé une longueur d'un mètre cinquante de cette pièce de bois de vingt-cinq centimètres de haut, trente-huit de large. Le dessous, protégé de l'eau vive depuis le naufrage, est mieux conservé que le reste et porte des entailles indiquant une alternance de demi-couples et de couples à varangue.

Je ne sais la fonction de cette pièce importante. Un fait me surprend. J'ai vu les couples tous identiques au fond de la tranchée, et pourtant la pièce porte des entailles différenciées. La structure de la coque devait changer sous cette pièce.

En 1962, lorsque j'examinerai la coque de la *Chrétienne*, mise à nu par le pillage, je verrai l'emplanture du mât qui ressemble étrangement à la pièce du *Dramont*.

***

La belle saison s'achève, les crédits aussi. Il nous reste à mettre de l'ordre sur le chantier, terminer les relevés, arracher les amphores intactes pour qu'elles aillent au futur musée de Saint-Raphaël et non grossir les collections particulières.

Dans l'ensemble, nous avons été favorisés par le temps. Les avis varient à ce sujet en fonction des estomacs. Certains disent que nous avons été très gênés.

Le 15 octobre, les travaux sont terminés. Notre « mobilier archéologique », comme disent les spécialistes, joint à celui sauvé par le club de Saint-Raphaël, révèle comme au Grand Congloué la grande importance du commerce des vins dans l'Antiquité et ajoute des noms de la région de Naples à ceux déjà connus. Mes camarades estiment que le bateau portait mille deux cents à mille cinq cents amphores, j'irais volontiers jusqu'à deux mille.

Sivirine a fait un rapport que j'apprécie beaucoup et, si je ne suis pas d'accord sur certains détails, il n'en est pas responsable, ni les autres plongeurs, d'ailleurs. Accusons plutôt ceux qui ont accordé des crédits trop faibles pour que cette fouille pleine de promesses puisse être conduite plus scientifiquement.

Il faudra voir un jour les éléments du bateau restés dans le sable. Personnellement j'aimerais résoudre l'énigme posée par la tranchée.

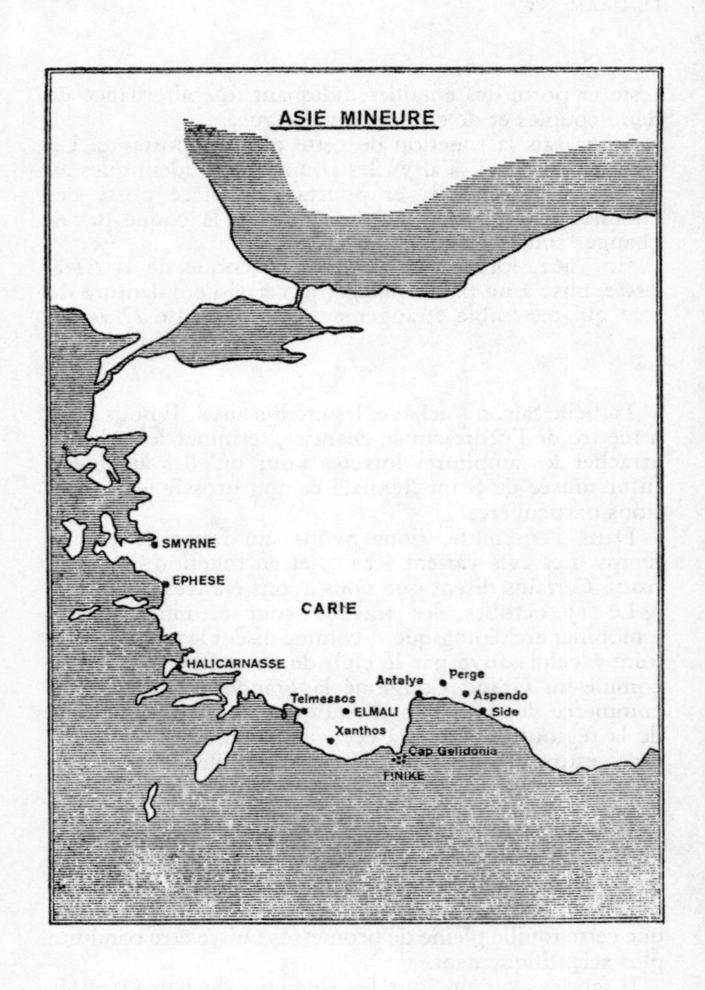
ASIE MINEURE
SMYRNE
EPHESE
CARIE
HALICARNASSE
Antalya
Perge
Aspendo
Side
Telmessos
ELMALI
Xanthos
Cap Gelidonia
FINIKE

L'ÉPAVE DE L'ÂGE DU BRONZE

En 1959 je reçois une lettre de John Huston me pressentant pour une expédition archéologique en Turquie, sur le yacht d'un richissime Américain. Huston préside un comité d'archéologie sous-marine, les Américains se passionnent pour les comités. Peter Throckmorton m'écrit ensuite. Américain et journaliste, il a prospecté les eaux turques en compagnie des pêcheurs d'éponges. Ils lui ont montré, entre autres, une épave vieille de plus de trois mille ans où des lingots de cuivre en forme de peau de bœuf voisinent avec des objets de bronze.

Quelques lettres échangées avec Throckmorton me précisent l'évolution de la situation. Le richissime s'avère enclin à la récolte de souvenirs personnels, la science ne peut s'accommoder de cette triste manie, l'aventure en reste là. Elle repart l'année suivante sous un jour plus sérieux. L'Université de Pennsylvanie s'intéresse à l'expédition et fournit des capitaux... modestes. Beaucoup de scientifiques se sont mis avec succès à la plongée. Les biologistes ont su s'imposer aux militaires en étudiant une couche d'animalcules qui font écran aux moyens de détection et cachent les sous-marins. Les océanographes partagent avec eux cette aubaine et alignent d'ailleurs d'autres atouts pour intéresser les marines de guerre et de commerce. Les géologues savent où trouver le pétrole sous la mer, il n'en faut pas plus pour se faire des amis. Seuls les archéologues restent des parents pauvres, même en Amérique. Ils ne produisent rien de commercialisable et leurs rapports avec la guerre se situent dans un passé si lointain, que les militaires de l'ère atomique croient n'en pouvoir rien apprendre.

L'université américaine, représentée par George Bass, archéologue de métier, dirigera l'expédition. L'Angleterre délègue Miss Joan du Platt Taylor, personne respectable dont la grande expérience des fouilles au Moyen-Orient peut nous être utile, et Miss Honor Frost, dessinatrice qui plonge. Un plongeur, Claude Duthuit, et moi représentons la France. Le programme très étoffé comprend l'épave de l'âge du bronze, par vingt-sept mètres sur fond de roche et, dans la même région, deux épaves byzantines chargées d'amphores, par quarante mètres sur fond de sable.

Honor Frost, intelligente et cultivée, servie par une excellente mémoire, a plongé sur les épaves byzantines, elle vient me préciser les problèmes. Je vais à Londres discuter mon point de vue, et demande un carottier pour détecter les limites des épaves sur fond de sable avant d'en entreprendre la fouille. Miss Taylor, compétente en mécanique, nous procure ce tube à l'extrémité tranchante que l'on enfonce dans le sol par des moyens divers pour en prélever des échantillons.

Les archéologues doivent situer chaque objet dans l'espace avant de l'enlever et, par des séries de dessins et de plans, ils enregistrent toutes les phases d'une fouille pour pouvoir reconstituer ce qu'ils ont détruit. Je pense les aider en imaginant un vaste cadre métallique, horizontal, posé sur quatre pieds plantés dans le sol. Une règle verticale coulisse sur une règle horizontale, elle-même mobile sur le cadre. Trois lectures permettent de situer chaque objet dans l'espace. Quand le travail est achevé dans un carré, on fait pivoter le cadre sur l'un des pieds pour couvrir un autre carré jointif.

Je ne serai libre que le jour du départ et je charge Duthuit, à Paris, de faire préparer les éléments du cadre et ceux d'une suceuse.

La Spirotechnique me prête aimablement le matériel de plongée qu'elle fabrique, pour compléter l'équipement fourni par les Américains.

Je quitte la France le 1er mai. A Rome, l'énormité des Thermes de Caracalla rassure mes étonnements devant la taille des bateaux romains vus sous la mer.

Peter Throckmorton, George Basset Duthuit sont déjà arrivés en Turquie.

***

J'erre dans Athènes avec Joan et Honor, sans savoir où en est la révolution turque, éclatée brutalement. Les deux Anglaises ne s'inquiètent pas, elles évoquent leur longue expérience des coups d'état du Moyen-Orient, rien de dramatique, une gêne de plus dans ce pays déjà difficile, une gêne comme le manque de confort.

En attendant l'évolution du silence dans lequel s'enveloppe la Turquie, nous allons bavarder avec Miss Grace, dans son fief, grand bâtiment de l'Agora reconstitué d'après l'Antique par l'Ecole américaine d'Athènes, colonnade sans fin de marbres encore trop blancs.

Miss Grace, longue et fine, très douce, a passé sa vie au milieu des amphores. Sa collection s'entasse dans la cave du grand bâtiment: amphores trouvées à terre, cassées, recollées, reconstituées, grouillant sur des échafaudages dont l'enchevêtrement me fait penser à l'intérieur d'un sous-marin. Comparé à nos amphores de la mer cet étalage scientifique me paraît attristant. Les formes diffèrent des nôtres et la variété des types déconcerte. Miss Grace en connaît trop les subtilités pour publier une classification tant attendue des plongeurs, illusionnés par l'échantillonnage limité qu'ils trouvent sur nos côtes. Avec gentillesse, elle me fait parler de notre fouille du Grand Congloué. Elle croit à deux bateaux l'un sur l'autre car elle espace de soixante-dix ans deux types d'amphores de notre épave. Mes protestations amènent un sourire discret sur ses lèvres. L'archéologie sous-marine n'a pas encore fait ses preuves chez les archéologues. Ils trouvent les villes entassées les unes sur les autres et laissent errer leur esprit sur nos épaves avec ses habitudes. D'ailleurs, la mer a parfois accumulé les naufrages sur des écueils malicieusement disposés par la nature pour piéger les navigateurs. Mais au Grand Congloué le bateau était seul.

***

Je profite du contretemps de la révolution pour visiter, en Crète, le musée d'Héraklion qui regorge de la plus grande élégance, de la fantaisie la plus libre, que le monde ait peut-être connues. Je vois les palais minoens avec leur grande terrasse étalée au soleil, entourée d'un fatras de petites ruines comme des clapiers. Près du palais de Mahlia, dans la campagne brûlée de soleil où les moulins à vent arrosent de petits vergers isolés par des haies, je ramasse une anse de ces énormes jarres utilisées par les Minoens comme silos à grains. Ce précieux souvenir se dévalue à chaque pas car ces anses vénérables se répartissent sur des kilomètres. Ainsi, le long des récifs de corail qui bordent ou parsèment les mers chaudes, la tentation de récolter les touffes de pierre colorées s'évanouit devant l'énormité du choix. Près du palais, la côte rocheuse, puis sableuse, est bordée de tombes minoennes éventrées par les paysans pour récolter les bijoux d'or. Les déblais sont parsemés de tessons de poteries, d'ossements corrodés de dents toutes neuves.

Il est toujours délicieux de devancer la belle saison en

descendant d'avion et de retrouver les piqûres du soleil. Sous l'eau claire, agréable, peu profonde, je vois les restes de bâtiments éboulés et des roches creusées par l'homme. Plus loin, les carrières du palais de Cnossos se prolongent sous la mer en vastes excavations carrées, semblables à des piscines. Secouée par un volcanisme vicieux, la grande île montagneuse a oscillé au cours des âges, le niveau de la mer a changé depuis les ports minoens et, pour les comprendre, il faudrait questionner les géologues.

***

Nous apprenons en regagnant Athènes que l'armée a pris le pouvoir en Turquie. Les lignes aériennes sont coupées. Bravement, les Anglaises décident de prendre le bateau. Sans autres difficultés qu'une séance fastidieuse à la douane turque, un petit paquebot du temps de Jules Verne nous débarque à Ismir, l'ancienne Smyrne. La Turquie étouffe sous la terreur d'une douane tyrannique, fléau accepté comme les saisons.

Nous sommes accueillis par Rasim Divanli et Mustapha Kapkin, plongeurs comme nous et tout de suite amis charmants, simples, directs. Ils nous font admirer leur matériel bricolé avec des pièces hétéroclites destinées à un autre emploi. Seuls les défilés bien ordonnés de jeunes portant des bannières et accompagnés de musiques rappellent un événement qui, vu de l'étranger, paraissait grave.

Au musée, je vois enfin le buste de Déméter. Les Turcs ont su se garder de le restaurer, preuve de bon goût. Simplement nettoyé à fond, le bronze cru, brillant, donne une violence inattendue à l'expression du modelé, encore accentuée par les blessures de la mer. L'œil touche l'œuvre. Trouvé corrodé, concrétionné, enflé de vie marine dans le chalut à éponges, poche de filet fixée à un essieu de fer aux roues à larges jantes, il fut accueilli par un éclat de rire général. Peu s'en fallut qu'il ne fût rejeté à la mer. Il resta longtemps sur la plage, fané, sentant l'iode.

Le monde sous-marin a beau paraître étrange, il obéit à une logique, d'ailleurs, en matière de statues, il dépend entièrement de la surface. Après Anticythère et Mahdia, il est tentant d'imaginer Déméter arrachée à la cargaison d'œuvres d'art d'un bateau romain emportant les trésors d'Halicarnasse.

Peter et Bass nous rejoignent, notre dossier a presque terminé ses stages sur les divers bureaux, le permis de fouille devrait bientôt sortir. Les difficultés matérielles s'arrangeront toujours dans le Sud avec de la bonne humeur et de la patience.

***

Joan, Honor et moi montons dans une grosse jeep avec nos menus bagages, Peter conduit.

Nous traversons un pays plus savoureux que la Provence : bois de figuiers, paysans des deux sexes courbés sur les champs, cultures de tabac, oliviers sur les pentes, taches ocre de terre labourée, odeur forte des villages miniatures jaillis du sol. Arrêt à Ephèse au tomber du jour. Le soleil oblique cogne encore sur les pans de murs aux blocs de marbre éclatés aux angles par les pilleurs de plombs de scellement. Seule la partie publique de la ville a été dégagée : grand-rue pavée de marbre blanc, théâtre, bains, odéon. Il manque tout autour, descendant vers la mer, grimpant les collines, la marée de la ville justifiant ces monuments déjà assaillis par la brousse.

Sur la route du lendemain, les lauriers-roses en fleur marquent les plis humides des collines. La mauvaise piste monte vers des montagnes dorées, et nous nous arrêtons sur un col dominant Bodrum, base de départ de notre expédition. Rien n'indique un bistrot sur la terrasse où nous buvons un raki, servi sur des autels de marbre blanc ornés de guirlandes et de têtes de béliers. A nos pieds, le port étale son élégance circulaire, arrêté à gauche par le château des Croisés : remparts, tours, murs crénelés montant vers le donjon central, sur un fond d'îles que la distance fait paraître bleues. J'irai souvent flâner dans le château. Partout s'accrochent aux murailles les blasons de marbre étiquetant les seigneurs du moment : italiens, allemands, français, anglais, espagnols, il y a même des blasons de prélats. Parmi les graffiti du Moyen Age, les Anglaises me montreront avec un sourire « Vaca Francia ». Des colonnes antiques incluses dans les murailles en renforcent la tenue. Des fragments du Mausolée fameux mêlent leurs sculptures à la pierre locale.

Sur le quai de Bodrum, c'est l'accueil déjà amical de nos pêcheurs d'éponges. Deux caïques nous attendent. Le *Mandalinci*, coquet, mais encombré d'un rouf empli par la pompe des scaphandriers. Le *Lufti Gelil*, plus vaste, sans rouf conviendra mieux pour notre matériel important, nos trouvailles. Son fond est lesté par une bonne couche de galets d'un blanc si pur qu'ils n'ont pas l'air d'époque. Le capitaine Kémal, le chef, beau garçon bien découplé, me paraît renfermé. Je préfère Kasim, son second. J'aime le regard clair de son œil entouré de petits plis qui vous disent que seuls vous deux vous comprenez. Il doit avoir ces regards confidentiels avec tout le monde, mais c'est une vieille canaille bien sympathique. Nos Turcs, gens frustes, pauvres, très dévoués quand ils ont donné leur amitié, malgré leur apparence de forbans méditerranéens.

Bien entendu je ne comprends pas un mot et n'aurai pas le loisir d'en apprendre beaucoup. Pourtant cela ne me gênera pas. Entre plongeurs, nous nous débrouillons avec les mains pour faire le portrait d'un poisson, commander une action ou manifester nos sentiments.

L'éponge se vend de plus en plus mal tout en envoyant chaque année quelques amis au cimetière, car aucun instinct ne nous prévient des lois de la plongée. Notre recherche des vieilles choses paraît à ces gens une douce manie que l'argent américain rend sympathique.

Le gouvernement nous délègue un archéologue pour surveiller nos agissements, Akki Bey, petit homme jovial qui ne nous semble pas très archéologue. Il se montrera précieux, malgré une hantise d'une autorité supérieure non précisée.

Nous avons encore une longue route à parcourir avant d'atteindre Finike et l'épave de l'âge du bronze. Une partie de l'équipe part avec les caïques, je préfère la jeep, toujours heureux de visiter la terre. Nous revoilà grimpant les montagnes, traînant derrière nous un nuage de poussière comme un plongeur nageant au ras du fond. Jamais je n'aurais cru à tant de rivières dans ce pays, et si belles.

Nous retrouvons la mer en arrivant à Féthiyé, l'ancienne Telmessos, gros village tapi au pied d'une haute falaise verticale où sont sculptées des tombes. Détruit par un tremblement de terre il y a deux ans, Féthiyé vient d'être reconstruit sur un plan fatalement trop géométrique. Je laisse Peter et Akki Bey se débrouiller avec le garagiste et me dirige vers la falaise. Aucun chemin ne conduit aux tombes, je progresse par-dessus des pans de murs, à travers des enclos où s'ennuient des vaches. Devant moi, à des hauteurs différentes, deux grandes façades de temples à colonnes ont été sculptées dans la falaise pour des rois lyciens du IVe siècle avant Jésus-Christ. Autour des tombes royales s'ouvrent des tombes bourgeoises, taillées en façade de maison et des tombes plus modestes, simples trous carrés. La base de la tombe royale accessible est noircie par des feux récents, l'un des quatre panneaux de la grande porte manque, des poules nichent sur les trois couches mortuaires avec oreillers, taillées à même la roche.

Les Turcs réparent notre jeep toussotante avec une lenteur majestueuse qui nous vaut une nuit dans un hôtel relativement confortable, malgré le panneau vitré en haut de la porte donnant sur le couloir éclairé toute la nuit, coutume de Turquie.

Nous prenons au matin la route suivie par Alexandre pour se diriger vers Xanthos après avoir occupé Telmessos. Nous marchons constamment sur les pas d'Alexandre.

Sur un promontoire rocheux dominant la boucle

Ce ballon, semblable à une montgolfière, tire,
une fois gonflé dans l'eau, avec une force
d'une centaine de kilos, permettant de soulever
d'importantes charges. Jane-Dolinger – photo Agency.

d'une large rivière, les ruines de Xanthos, concentré de marbres en place ou épars, ont été mises à nu par les archéologues au milieu de la brousse déserte. Le soleil me semble particulièrement offensif, l'escalade touristique nous donne une grande soif. Un vieux gardien sort d'une maisonnette invisible et nous accueille sur des divans, des coussins, des tapis, très colorés, étonnamment propres. Ces tapis vous offrent le niveau du sol dans une ambiance héritée de tentes de nomades, de palais de sultans ou de mosquées. Le vieil homme nous sert à boire et à manger avec une grande simplicité.

Nous lavons la sueur poussiéreuse de la route à la rivière, face à une tombe taillée dans un rocher proéminent. Seul le fronton triangulaire émerge d'une eau trop rapide pour aller voir si la tombe est ouverte.

Nous traversons une campagne douce, parsemée de grands arbres. Au pied de nouvelles montagnes la piste bifurque. Akki Bey questionne les paysans. Leurs réponses confuses évoquent le souvenir de lointains parents qui prirent une fois l'une de ces routes. Ils chiffrent les distances en heures.

Le chemin grimpe de plus en plus et, malgré ses quatre roues motrices, la jeep, comme un plongeur forçant en eau profonde, peine, à la limite de l'essoufflement. Elle bute constamment sur des caniveaux d'où l'eau courante s'élève par des gouttières de bois, pour tomber sur de petits moulins. Une crête se détache rougeâtre sur le ciel, percée de tombes dans le roc. Inquiets, nous longeons la forêt de mélèzes qui borde les cimes enneigées. À la nuit tombante, nous buvons un raki sur la place d'un petit village aux maisons de bois. Un bûcheron tire de sa poche une pièce d'or antique portant deux têtes, d'une frappe magnifique. Devant ma convoitise, ce brave homme d'Akki Bey surmonte ses sentiments d'archéologue officiel et demande combien. Trop cher, hélas, pour mon optique déformée par le bon marché de ce pays.

Nous descendons dans la nuit des chemins forestiers déserts. Enfin les lumières lointaines d'Elmali calment notre inquiétude. Nous sommes récompensés par une nuit tranquille et fraîche à l'hôtel de la petite ville. Peter épuisé s'endort habillé.

Le lendemain, en descendant à travers la forêt, nous dépassons une trentaine d'hommes qui marchent d'un pas naturel derrière un brancard où le mort est enroulé dans une couverture aux couleurs vives. Plus bas, quatre hommes les attendent avec la planche sculptée pour la tête de la tombe.

Le village de Finike, l'ancienne Phœnicus, étire sa banalité le long de la mer. Avec nos camarades navigateurs, rouges d'un excès de soleil, nous éventrons d'énormes caisses arrivées par la route, pour extraire notre matériel d'un amas de poussière. La nourriture, de plus en plus médiocre, il est de bon ton de la déclarer « tamam », qualificatif au sens large, pour l'agrément, la beauté ou la bonté.

Au bout de trois jours mystérieux pour moi qui ne saisis pas les finesses des multiples petits ennuis inhérents à ce pays si beau et si sympathique, nous appareillons à trois heures du matin pour l'épave de l'âge du bronze.

A l'extrême sud de la Turquie, le cap Gelidonia se prolonge par un chapelet de cinq petites îles, que devait traverser la route côtière des Anciens. L'épave est située au nord de la troisième île, roche blanche, abrupte et pelée, où nous cherchons en vain une partie assez plate pour camper. Son nom « Sou Ada » indiquant de l'eau douce est trompeur.

A une heure de route au-delà des îles, nous entrons dans une baie en croissant, encaissée par de sombres falaises bordant une plage de galets de sept ou huit mètres de large. Les Turcs disent ce mouillage bon. Son allure de forteresse nous inquiète, mais l'eau qui sourd de la paroi nous tente. Derrière le cap suivant, une autre plage nous permettrait un accès vers l'intérieur. Moins abritée, sans eau douce, ces arguments nous font choisir l'étroite plage aux sombres falaises.

***

Peter a acheté aux surplus américains une tente marron foncé capable d'abriter toute l'expédition. Adossée à la roche sa masse sinistre s'égaie de parachutes à bandes orange et blanc, illuminés par le soleil. Les graviers brûlent les pieds nus, il faut se chausser pour traverser la plage. Les Turcs installent la cuisine côté ouest, près d'un minuscule filet d'eau de la paroi qu'ils recueillent dans un bidon pour remplir un sac de forte toile suspendu à trois piquets.

Pour échapper au chaos de l'organisation américaine du camp tout en ayant une attitude laborieuse, je fais un bassin pour dessaler nos trouvailles, dans une poche naturelle où le sable est imbibé d'eau douce, entre deux avancées de roche. Un Turc vient m'aider que je soupçonne de partager mes sentiments. Pour dégager la faille nous roulons de grosses pierres jusqu'à l'entrée, elles retiendront le sable. L'eau s'accumule déjà. Par la suite, les mains enduites d'une merveilleuse crème qui les isole du ciment, je bâtirai un mur, puis ferai un second bassin sous le déversoir du premier.

Le lendemain 15 juin, Kémal nous emmène sur l'épave. Mer lisse, ciel sans nuage. Nous mouillons près de l'île et je descends avec Peter. L'eau très claire permet une large vision de la pente d'éboulis terminée par une petite falaise. Sur un fond lumineux, un gros rocher allongé, horizontal, forme avec la falaise une crevasse. Un lingot en forme de peau de bœuf appuyé contre une roche, un autre en place, pris dans les concrétions de la crevasse. Vingt-sept mètres de fond. De vagues traces de travail dénotent une intervention récente. Je remarque une bizarre plate-forme de pierre à cinq ou six mètres du gros rocher. Dans l'ambiance générale de roches habillées d'algues, un sable très fin poudre quelques taches, cachant à peine la roche. Peter évolue comme un excellent plongeur, qu'a-t-il à écarter les bras vers moi en signe de désespoir? Il parcourt le site comme un carnassier à la recherche de nourriture et, à chaque arrêt, c'est le même geste des bras. Peter ne retrouve pas la pile de lingots, la barre de métal entre deux roches, les bols de pierre vus l'année dernière. On m'avait parlé d'une pente vers les grands fonds, c'était très exagéré, le sol descend légèrement vers la vallée entre les îles. Je suis attiré par la plate-forme, elle a bien l'air de faire partie du décor, mais pourquoi cette poudre de cristaux brillants, ces quelques tessons? Peter erre déçu, j'ai hâte d'entendre ses commentaires, nous regagnons la surface. Peter sort furieux. Les lingots se trouvaient sur la plate-forme, tout a été pillé. Ses soupçons se portent sur les pêcheurs d'éponges qui considèrent l'endroit comme une mine de cuivre.

En longeant la côte abrupte, vers le camp, les Turcs attrapent un petit mérou à la ligne traînante.

Devant la grande tente, tout le monde discute ferme. Kémal, en colère, défend ses collègues. Des soupçons se portent sur le richissime ex-ami. On se console en pensant à l'épave byzantine de Yassi Ada. Un éventuel départ est envisagé. J'écoute sans conviction ces commentaires, les traces de travail sur le fond me paraissent trop légères pour expliquer la disparition de toute une cargaison.

Le camp s'installe avec réticence.

Pour faire une diversion, je prends la responsabilité d'emmener plonger sur le site Akki Bey, qui a déjà pratiqué masque et tuyau, et Bass, qui a pris quelques leçons en piscine avant de quitter l'Amérique. Heureuse initiative. Nous décidons de faire un plan de l'endroit avant de prendre une décision.

Avec des câbles ébouriffés, des squelettes d'ancres rouillées et deux fûts métalliques de deux cents litres, nous établissons un mouillage permanent, pour maintenir le caïque au-dessus de l'épave malgré les variations du vent et du courant.

Peter fait beaucoup de photographies sous-marines qu'Herb Grier développe la nuit dans un creux de la falaise, au fond de la tente. Kémal marche sur le fond, majestueux dans son scaphandre à casque empanaché de bulles. Il paraît immense à côté de nos corps nus horizontaux. De ses mains étalées, il fait signe que tout est en place. Les photographies de Peter, prises à la verticale pour faire un plan, ne nous paraissent pas assez expressives. Les reliefs se confondent avec les parties plates, les touffes d'algues se voient mieux que les roches. Je trie sur la plage des galets blancs peu nombreux parmi les gris et, aidé par Duthuit, les dispose sur le fond pour souligner en pointillé les éléments du décor. Nous obtenons ainsi une bonne vue d'ensemble, en collant bout à bout les nouvelles photographies de Peter.

Des amis de nos pêcheurs d'éponges viennent se ravitailler en eau et donnent à Peter des amphores byzantines, un bloc de lampes à huile soudées par les concrétions. Ils savent Peter amateur des vieilleries montées dans le chalut avec les éponges.

Le dimanche 19 juin, Kémal, pour améliorer l'ordinaire à base de salade de concombres et tomates, est parti avec le *Mandalinci* chasser en scaphandre. Je tiens à examiner l'épave tranquillement et profite de ce dimanche pour appareiller avec le *Lufti Gelil*.

Beaucoup d'épaves antiques ont provoqué une accumulation de sable qui, jointe à la sédimentation naturelle, a arrêté les progrès des concrétions. Lorsque le sommet de ces épaves est encore visible, il porte seul des concrétions importantes, toujours en voie de formation. Le sol dissimule alors des concrétions mortes dont l'épaisseur diminue en descendant vers la base de l'épave. Ici, nous nous trouvons devant le cas assez rare d'une épave qui n'a jamais été protégée par la sédimentation. La formation des concrétions dure depuis le jour du naufrage, avec la même intensité.

J'évolue calmement dans le paysage brillant de lumière. Une vie de plongeur m'a appris, à mes dépens, le pouvoir de dissimulation de la mer et l'ingéniosité qu'elle consacre à nous illusionner. J'ai pris une pince-monseigneur et une martelette tranchante, confectionnée sur mes plans par le forgeron de Finike. J'engage la pince dans une petite faille de la plate-forme, un angle casse, un amas de cuivre paraît.

Le sol entre la plate-forme et la crevasse me semble

honnête, par contre, dans la crevasse s'entassent des concrétions bizarres. Quelques allées-venues aux environs habituent mon œil au style des roches naturelles, je donne des coups de martelette aux roches suspectes de la crevasse: encore du cuivre et du bronze dans la pierre.

De retour au camp, j'annonce la bonne nouvelle. Mes camarades se rassemblent pour m'écouter.

« Le pillage est resté très superficiel. La cargaison est cachée sous une croûte de pierre. Je l'estime à environ une tonne, répartie en deux amas distants de quelques mètres. En certains endroits, et particulièrement dans la crevasse, des concrétions aux formes baroques, tourmentées recouvrent une partie de la cargaison. Spongieuses, friables, elles cèdent facilement au marteau. Ailleurs, ces concrétions ont poussé sur une couche d'autres concrétions, homogènes, dures et compactes, dans laquelle la cargaison est noyée. Enfin, la plateforme est entièrement constituée par un amas d'objets cimentés par la couche dure. »

Tout le monde parle en même temps, Bass prépare un télégramme pour ses patrons.

Je tempère leur joie par mes conclusions. « Nous sommes venus ici pour une fouille pilote, méthodique, systématique, scientifique! Malheureusement le bateau n'est pas enfoui dans le sable comme les épaves classiques. Il est tombé dans le col d'une chaîne de montagnes sous-marines que balaie un fort courant, comme le vent s'engouffre dans les échancrures des montagnes. La houle des tempêtes, très sensible à cette profondeur, balance le sable et le courant l'emporte. Restée sans protection, l'épave s'est fossilisée. J'estime impossible de disséquer sous l'eau une sorte de roche aussi dure que du ciment, où sont emprisonnés des bronzes et des poteries friables. J'offre de détacher des blocs d'une centaine de kilos, maximum compatible avec nos possibilités de levage. Je suivrai les lignes de moindre résistance, pour limiter les dégâts. Ces blocs seront rassemblés sur la plage, en faisant coïncider leurs cassures, et disséqués ensuite. Bien entendu, les dessins, plans et photographies exigés par la doctrine, seront faits en plongée avant la moindre intervention et pendant les opérations. »

Ma proposition est adoptée sans discussion, la fièvre des préparatifs anime à nouveau le camp.

***

Chaque matin, entre autres corvées, le mousse Djumour environné de flammes au fond du *Lufti Gelil* fait rougir la culasse du monocylindre diesel dans le ronflement d'une lampe à souder de taille respectable. Lorsque la culasse paraît à point, Djumour pose la lampe à souder, sans l'éteindre, dans le fatras du caïque, et tourne l'énorme volant. Souvent Kémal doit intervenir pour dompter de son autorité de capitaine aux gros muscles les spasmes désordonnés de ce redoutable volant.

Nous travaillons avec le *Lufti Gelil*, laissant le *Mandalinci*, plus coquet, faire la navette avec Finike pour les provisions... décevantes. La mer constamment plate, le soleil éblouissant me ravissent. J'ai amarré une corde à un rocher près de l'épave et mis un bidon vide à l'autre extrémité pour la maintenir en surface. Nous sautons à l'eau tout équipés, près du bidon qu'il faut saisir immédiatement, sous peine d'être emportés au loin par le courant. Se déhaler sur la corde tendue me semble assez facile.

Quand, pendant des mois, les plongées n'arrêtent pas, dimanches compris, j'ai remarqué une accumulation de fatigue chez les plongeurs. Ils souffrent d'otites, de rhumes, le rendement diminue rapidement. Les tables ont fait leurs preuves pour des plongées isolées, mais leur stricte application ici me paraît inquiétante, dans l'incapacité de traiter immédiatement un camarade accidenté. Le caisson de recompression acheté pour l'expédition est resté bloqué en douane. Ces diverses raisons m'ont amené à adopter un rythme de plongée plus prudent que celui permis par les tables. Nous plongeons trente minutes le matin, avec cinq minutes de palier, et vingt-cinq minutes l'après-midi, avec le même palier. J'exige un intervalle minimum de trois heures entre deux plongées, la majeure partie de l'azote dissous par le corps est alors éliminée. Vers la fin de la fouille, nous avons étendu la plongée du matin à quarante minutes avec dix minutes de palier. Par sécurité, les plongeurs travaillent à deux et, comme le champ de fouille est peu étendu, ils ne se perdent pas de vue.

Au-dessus de l'épave, l'eau de surface est presque constamment balayée par un fort courant. Contrairement aux dires de nos Turcs, ce courant ne semble pas avoir de rapport avec les vents, d'ailleurs, cet été, les vents se montrent discrets. Il s'agit d'un courant général, comme celui de la Côte d'Azur. Il est influencé par les marées. A la pleine lune, la mer monte sur notre plage et lèche le bord de la tente. Alors, au long de la falaise bordant l'épave, le courant s'exaspère et coule comme une rivière. A un certain moment de la journée, il entre en transes pour passer du sud-est au nord-est. Pendant un quart d'heure, des masses d'eau considérables se mettent en conflit. Par places, le courant s'enroule sur lui-même. Le caïque change d'évitage, l'eau monte en grandes taches lisses qui repoussent les vaguelettes. Le courant cherche sa nouvelle voie, bientôt dessinée par les rides qui succèdent aux tourbillons.

Pendant ce phénomène, le plongeur empoigné par l'eau est arraché à sa tâche, basculé. Des souffles d'eau soulèvent contre la falaise des langues de sable qui s'épanouissent en tourbillons ascendants. Ce moment de folie passé, le courant se fait particulièrement sentir en surface. Au fond, parfois, il suffit à peine à balayer le nuage soulevé par notre activité.

La roche blanche de l'île dresse haut dans le ciel un piton au-dessus de nos têtes. Couché sur le pont en attendant mon tour de plongée, je regarde une famille d'aigles tournoyer autour du sommet. Ils glissent immobiles avec des envolées de phrases musicales sur les masses d'air ascendantes. Leurs courbes passent derrière le piton, ils réapparaissent plus haut dans le bleu du ciel. Certains partent droit vers la côte, d'autres en reviennent. Un jour, plus nombreux que d'habitude, ils font une grande kermesse en plein ciel, au-dessus du piton. Les Turcs les disent très méchants. Avec deux camarades, je tente l'ascension. Des pierres s'éboulent sous nos pieds, nos mains s'agrippent à la roche mordue par l'érosion. Le sommet approche, les aigles tournoient plus vite, si gros que d'un commun accord nous redescendons, pensant que nos camarades vont avoir besoin de nous.

Vers midi, la première série de plongées terminée, nous déjeunons sur le caïque d'une salade de tomates et concombres, parfois d'un plat jaune et rouge où figurent des œufs émulsionnés et des tomates.

Très souvent, en arrivant le matin, nous trouvons le mouillage et la corde de descente embrouillés par le courant. Je plonge dans le jardin de la vallée: taches de sable blanc, roches moussues, vastes éponges en corolles noires à reflets soyeux. Ces éponges, aux fibres de la consistance d'une herbe rude, ne sont pas utilisées pour la toilette. Kasim les apprécie beaucoup pour faire la vaisselle, leur suc doit être détergent. Le courant a enroulé le mou des câbles autour des roches, tirant les flotteurs sous la surface. Nos Turcs ont été formés longuement à suivre au moteur les évolutions de leur camarade en scaphandre, tout en maintenant le tuyau à la bonne longueur. Pendant que je tourne autour des roches, luttant avec les boucles du câble, une merveilleuse attention compréhensive, venue d'en haut, suit mes gestes et pare à mes difficultés. Avec des marins ordinaires je ne pourrais m'en tirer seul.

Nous avons disposé une caisse à outils au fond de l'eau, avec marteaux, ciseaux, la pince-monseigneur et deux martelettes tranchantes. J'ai demandé à Bass de faire confectionner un grand panier en cornières de fer grillagées. Nous y entassons les objets repérés sur le plan, et le *Lufti Gelil* hisse avec son mât de charge primitif, en donnant des secousses affreuses.

Je choisis de détacher un premier bloc à l'ouest de la plate-forme, où l'on devine des lingots dans l'angle ébréché. Je commence par enfoncer mon bras dans un trou étroit, sous la plate-forme et dégager une poche de sable pur, le fond du bateau a dû laisser un vide en disparaissant, le sable s'y est infiltré. Je tâte d'autres vides, des piliers de pierre, des vides encore, très encourageants. La plate-forme ne fait pas corps avec le sol rocheux.

Pendant trois jours, Duthuit et moi taillons dans la pierre, essayant de ciseler un contour de bloc dans la masse de la plate-forme. Nos camarades mesurent, dessinent, fixent des étiquettes à quelques objets restés visibles, marquent de lettres les zones de ce chantier de douze mètres sur trois. Peter et Herb mitraillent avec leurs appareils photographiques en boîte étanche, engins capricieux, enclins aux plaisanteries faciles telles que faux contact du flash ou entrée d'eau.

Enfin le bloc me paraît prêt à être détaché, j'engage la pince dessous, mes pesées n'ont aucun résultat. Des piliers de pierre inaccessibles retiennent le bloc.

Peter me propose le cric de la jeep. Il ne passe pas sous le bloc, il faut reprendre le ciseau et le marteau. Je dois reconnaître que personne ne me presse, au contraire, il y a tellement de dessins et de plans à faire avant chaque mouvement.

Le cric enfin installé et calé, je manœuvre la pompe. Une légère fumée blanche coule de la tête de l'instrument qui mord la pierre. Un claquement sec fouette nos oreilles, le bloc frémit. Rapidement amarré, il est hissé à bord, accompagné par les cris des Turcs.

Peter caresse le bloc avec l'extrémité d'un ciseau, il arrache des algues. La tentation devient trop forte, le voilà ciselant délicatement pour rendre un lingot plus visible. La traversée du retour dure une heure, le bloc arrive sur la plage amenuisé, méconnaissable. Je proteste, pour la forme, contre le ciselage avant d'avoir fait coïncider plusieurs blocs sur la plage. Nous sommes tous d'accord.

Nous constatons, à la plongée suivante, que le bloc, traîné par le câble, en a arraché un second, d'où un bout de tissu et une cordelette tressée pendent entre des lingots. Le courant balance ces filaments délicats. Bass me tend un sac transparent où je fourre cette matière organique. Un fond de panier adhère à un lingot. Le *Lufti Gelil* soulève légèrement le bloc pour que nous puissions l'envelopper dans un drap. Ainsi protégé pendant l'ascension, le fond de panier arrive intact, fait de cordelettes enroulées en spirale. On distingue des objets de bronze mêlés aux lingots : instruments agricoles, cassés avant le naufrage.

Décidément Peter a la passion du ciselage. Le travail dans l'air échappe à ma compétence, je ne proteste plus, impatient moi-même de voir sortir nos trouvailles de la pierre. D'ailleurs, nous suivons tous plus ou moins le mauvais exemple de Peter.

Lorsque tous les vestiges de la plate-forme sont installés sur des draps, près de la grande tente, en blocs amaigris ou disséqués, Joan, Honor et Bass passent des heures, des journées à essayer de reconstituer le puzzle des lingots et des menus objets, en s'aidant de croquis faits sur place ou de photographies sous-marines. Leurs figures préoccupées, leurs attitudes indécises, leurs discussions sans fin, disent leurs hésitations, leurs incertitudes. Parfois l'un d'eux va contempler la dernière version, médite, pousse légèrement un lingot ou demande de l'aide pour décaler une pile. Ils finissent par se mettre à peu près d'accord, mais quel jeu de patience trop lourd.

Les lingots en forme de peau de bœuf, longs de soixante centimètres, larges de quarante, pèsent en moyenne vingt kilos, avec des variations importantes. Mes camarades archéologues disent que leur forme n'a pas de relation avec une peau de bœuf. Les pattes sont des poignées pour les manipuler ou les attacher sur le dos d'un âne. Les piles de ces lingots sont entourées par des lingots de cuivre lenticulaires, avec une face plate et l'autre bombée, qui pèsent environ quatre kilos.

Beaucoup d'objets de bronze portent une marque et, à ma grande joie, une croix de Lorraine dans un V revient fréquemment.

***

Nous éprouvons de sérieux ennuis pour charger les appareils de plongée avec le petit compresseur Bauer, la chaleur excessive de la plage le fatigue. Si les Arabes se passionnent pour les armes à feu, les Turcs, eux, adorent la mécanique. Dès que l'engin tombe en panne, une équipe se précipite. Bientôt ils sont tous assis en cercle autour du compresseur, sur la plage brûlante d'un soleil torride. Les petites pièces délicates jonchent les galets, au hasard du démontage et de l'examen par chacun. Deux partis se forment, les palabres vont bon train, toute autre activité turque est suspendue. Bass et Peter considèrent ces réunions comme appartenant à une fatalité aussi inéluctable que la pluie ou la tempête.

L'appareillage est retardé, différé, annulé. Chacun de nous se trouve une occupation.

A chaque fois, peu avant l'heure du repas, on entend les hoquets du moteur, lancé, arrêté et relancé avec amour jusqu'à la lassitude. Les Turcs se séparent. A regret.

***

Joan est chargée du nettoyage et de la conservation des objets trouvés sur l'épave. Elle a fait installer un parachute orange et blanc au-dessus de son atelier, devant les bassins d'eau douce. L'eau proche donne une illusion de fraîcheur, parfois même une légère brise gonfle le parachute. C'est là le cœur du campement, où les mains libres s'exercent à dégager bronze et poterie de la pierre, où l'on vient bavarder. Dans les bassins trempent des blocs de concrétions encore vierges, des objets nettoyés qui se dessalent lentement, des sacs en plastique où mijotent les pièces délicates. Près de là, les vestiges de la plate-forme sont posés sur des draps très blancs, souillés par plaques. Des sacs de sable soutiennent les lingots dans la dernière version de leur disposition. Les poteries, tendres et fragiles, donnent beaucoup de mal à Joan. Elle en casse beaucoup, sans s'inquiéter, disant qu'elles seront reconstituées plus tard. Pour moi, c'est un vrai massacre. Joan a reçu d'Angleterre un outil électrique vibrant qui, avec sa blouse blanche, lui donne une allure de dentiste. L'efficacité de cet engin se limite à quelques concrétions particulières, sur certains objets de bonne composition.

Un gigantesque éboulis de rocs coupe la plage en deux. Dès l'arrivée j'ai vu le parti à tirer de cet amoncellement. A coups de masse, j'ai fait un sentier pour traverser le chaos. Les blocs éclatent facilement, leurs morceaux comblent les vides, les petits éclats nivellent, je trouve même de la poussière pour achever d'aplanir. Au sommet de l'éboulis, j'ai taillé une plate-forme pour m'installer loin de la tente commune. Je domine la plage et dors sur un matelas de l'armée, à même le sol, avec la seule protection d'une moustiquaire accrochée à la falaise. Alors que près du camp l'eau sourd goutte à goutte, au-delà de l'éboulis on la voit couler. J'ai creusé sous la source, fait un rempart de gros galets, l'eau très calcaire a étanché la porosité du sable. Le soir, la paroi de roche en demi-cercle qui limite notre univers rayonne la chaleur du jour, je m'allonge dans le bassin de la source, sous l'auvent de la falaise. Quand je sens le froid m'envahir, je grimpe jusqu'à la plate-forme et, la fatigue aidant, m'endors tout nu, avant le retour de la sensation de chaleur.

Lorsqu'elle monte au-dessus du cap noir, la lune luit d'un tel brillant que je dois cacher ma figure. Le jour m'éveille bien reposé.

Joan et Honor ont manifesté le désir d'habiter l'éboulis, je leur ai fait des plates-formes. Les Turcs passent sur mon sentier pour aller chercher un supplément d'eau ou laver leur linge sur de gros galets plats. Mon activité musculaire les étonne, quand les palabres seraient si doux. J'ai toujours aimé domestiquer les pierres, je profite ici des matins hésitants, des fins de journée, des pannes du compresseur.

Honor avait apporté du café pour ses cadeaux, elle en a gardé et le fait rôtir dans le couvercle d'un minuscule réchaud à alcool. Je l'écrase le matin entre une pierre plate et une ronde, à la manière préhistorique, et c'est un régal pour notre bastion anglo-français.

Avant le dîner, les amis viennent boire le raki sur nos plates-formes. L'eau donne à cette anisette un goût douceâtre, mais je la trouve très consommable à l'état pur.

Nous descendons à regret de notre forteresse pour aller dîner assis sur des caisses, le long de la table faite avec les parois de la grande caisse posées sur d'autres caisses. Le groupe électrogène ronronne au loin. Une ampoule accrochée à la falaise, dans notre dos, a pour fonction principale d'attirer les moustiques loin de nous. Les vêtements et les chaussettes restent indispensables, heureusement qu'après une journée au soleil on se sent frileux.

Quand le *Mandalinci* revient de Finike avec un chevreau ou des poulets, c'est la fête immédiate. Seuls les concombres et les tomates résistent à cette chaleur qui rend les bougies molles.

Avant le départ j'avais été terrassé par une crise de coliques néphrétiques. Tomates et eau pétrifiante témoignent d'une guérison bien certaine.

Quelques pierres tombent de la falaise pendant la nuit. Un tremblement de terre comme en connaît assez souvent la Turquie nous écraserait tous.

***

J'ai attrapé une tortue de mer près de l'épave. Elle nage sans cesse vers le large, au bout d'une ficelle, devant la tente. J'ai suggéré à Peter qu'une soupe de tortue nous changerait des salades, pourtant je garde un mauvais souvenir de la tortue. Quand nous tournions *Le Monde du silence*, en plein océan Indien, à la petite île de corail d'Assomption, nous mangions les tortues de mer, seule viande disponible. Nous les achetions à quelques Noirs abâtardis qui les laissaient de longs jours sur le dos, dans la lumière crue du sable blanc d'une plage bordée de cocotiers, et ces malheureuses bêtes pleuraient. Leur chair ressemble à du veau grossier qui aurait vécu de poisson, leurs œufs au jaune nu, très farineux, sèchent la bouche. Les Turcs se montrent très tristes à l'idée de manger la tortue, le malheur s'attache pour eux à cet animal. J'ai coupé la ficelle.

***

Avant de quitter la France, j'avais pensé que les photographies immédiates d'un Polaroïd rendraient de grands services pour diriger la fouille. Bass m'avait procuré l'appareil, Davso, à l'O.F.R.S., lui avait fait une volumineuse boîte étanche jaune, avec le carénage avant d'un scooter sous-marin. Herb s'est chargé d'utiliser l'appareil et ses essais devant le camp permettent les plus grands espoirs.

Herb est descendu sur l'épave avec le Polaroïd en même temps que moi. Je taille dans les concrétions sans m'occuper de lui. Je le retrouve à bord quand je remonte. De l'eau gargouillait dans ses tuyaux. Affolé, il est remonté précipitamment. On me rassure sur le sort du Polaroïd, Herb l'a laissé près du fond. Pour moi, c'est net, l'engin est perdu. Parfaitement équilibré, il ne sera pas descendu s'abriter au sol, ni monté vers la surface, il sera parti dans le courant. Peter va voir. Kasim, puis Kémal, enfilent leur scaphandre pour arpenter les environs. Par acquit de conscience, nous croisons longtemps dans le sens du courant. Comme dans l'histoire du pélican de Musset : « L'océan était vide... »

***

Bass est revenu enchanté d'un petit voyage à Antalya, ville la plus proche de notre solitude. Notre aventure passionnante a un cadre limité à la mer et la plage, l'idée de flâner dans une ville me tente, je me joins à la prochaine expédition. Le *Lufti Gelil* voyage de nuit. Joan, Honor, Akki Bey et moi essayons de dormir sous les embruns. Au matin, Antalya paraît, sur un plateau verdoyant, bordé par une falaise d'où plusieurs cascades tombent dans la mer. Le port minuscule, pris dans la roche, protégé par une muraille énorme, est encombré par quelques caïques colorés. Le marché sent l'Orient, avec ses caravanes de chameaux, ses artisans accroupis dans leur minuscule boutique, sa vie à même le sol. Malheureusement quelques immeubles modernes affadissent l'ambiance lointaine de la ville.

Les brocanteurs nous offrent des monnaies d'argent de villes grecques, des intailles romaines. Hôtel et restaurant ont un goût tout neuf dont nous jouissons comme des gosses.

Le lendemain, nous partons en taxi à travers la campagne. Arrêt devant le guichet de l'énorme théâtre romain d'Aspendos, incroyablement intact et seul. Adossé à une colline où le maquis ronge d'épais pans de murs, il fait face à la plaine chamois, bordée de montagnes mauves. A l'intérieur le soleil cogne sur les gradins pour douze mille personnes et fait cligner les yeux. La lumière douce de l'ombre joue sur le fronton avec les socles et les niches vides des statues des empereurs. Des indications de places sont gravées sur les dalles de la scène, pour les acteurs. Mes camarades s'essoufflent en grandes enjambées pour gravir les gradins, silhouettes qu'amenuise la lumière et, tout en haut, petits points noirs sur le ciel. Je les rejoins: aucune trace dans la plaine de la ville la plus importante de la région.

Au village suivant, nous buvons de la neige conservée depuis l'hiver au fond de trous couverts de branchages.

Une longue route, étroite et poussiéreuse, nous conduit vers une brousse d'où émergent des pans de murs de plus en plus nombreux. Voilà Sidé, ville hellé-

Le Vasa *appartenait au roi Gustave II de Suède.*
Coulé en 1628 et magnifiquement renfloué par les Suédois
en 1961, il avait une longueur totale de 57 m,
sa plus grande largeur était de 11,70 m. Robert Frédérick.

nique, puis romaine. La pioche des archéologues s'est limitée à deux édifices publics que la végétation a réoccupés. Un fond de salle adossé à un rocher conserve des tronçons de colonnes et une statue de femme debout qui ne doit pas avoir une grande valeur. Une pancarte décrépite signale qu'il s'agit de la bibliothèque. Nous flânons sur un sol de cruches cassées, de verres irisés, à moitié fondus par le dernier incendie de la ville.

Incorporées à des ruines imposantes, deux cabanes sordides se cachent sous un figuier. Flûtes et tambours y font un grand vacarme pour un mariage. Le port antique dessine deux bassins dont l'un est envahi par la terre. Honor nage entre des jetées éboulées, encore bien visibles, ces ports font partie de ses spécialités. En attendant la fin de sa baignade, je parcours le maquis avec Akki Bey, excité par cette ville que l'on sent présente sous la brousse. Le sol chauffe désagréablement à travers les sandales à semelle de corde. Nous franchissons un groupe de grandes colonnes blanc bleuté, éclatées à terre, nous butons sur des tronçons de murs sous les buissons, sur des ruines à contourner. Je regrette de n'avoir pas vécu ici enfant, j'aurais appris à bien sentir la ville dans le sol, en jouant à chat perché sur les marbres du maquis, puis j'aurais creusé chez les riches et fait jaillir des trésors.

Sur la piste du retour, Pergé dresse son grand théâtre cassé et son stade pour vingt-sept mille spectateurs. Au bout d'une avenue bordée de colonnes, dont certaines portent en relief sur leur fût lisse une petite divinité, une fille puise au puits à margelle de marbre pour faire boire ses vaches.

Pergé fut fondée au commencement de la migration achéenne, au début du premier millénaire avant notre ère, comme bien des villes d'ici. Nous ne voyons que les vestiges des derniers occupants : grecs parfois, plus souvent romains ou byzantins. Le sol cache les démêlés avec ces peuples de la mer à l'histoire confuse, les luttes avec les Perses, l'occupation par Alexandre.

***

De retour au camp, nous trouvons de nouveaux venus : Kirk, G.I. d'une base menaçant la Russie, Waldemar Illing et un autre jeune Allemand que Kirk appelle Blondy. Ils désirent nous aider.

Ce renfort de plongeurs accélère les remontées et cela met en retard les notes de Bass. Il fait ralentir la fouille. Seul, je détache plus d'objets que l'équipe n'en peut dessiner et photographier, puis placer sur le plan. Pourtant, tout est pris dans la pierre. Je me demande avec inquiétude quel avenir est réservé à cette méthode sur les épaves classiques de milliers d'amphores libres dans le sable qui fond sous la suceuse.

Malgré les variations journalières de l'ambiance morale, je cisèle la pierre inlassablement pour préparer ou détacher des blocs de cargaison. Je tiens à tout sortir cette année, notre fouille doit être connue comme un succès pour prouver l'intérêt de l'archéologie sous-marine !

La plate-forme a disparu. Nous avons trouvé en dessous des perles phéniciennes en verre, parmi les tessons du pot qui devait les contenir. Je progresse vers la crevasse. Kirk, rapidement devenu un ami, m'aide à planter des pitons de part et d'autre de la falaise et tendre des cordelettes de nylon, pour avoir des repères. Bass a eu cette idée. Instinctivement les plongeurs s'accrochent aux cordelettes pour lutter contre le courant, or mes pitons tiennent mal.

L'année dernière Peter a perdu deux lingots en les montant avec une corde trop faible. Comme la fouille est à nouveau suspendue pour mettre les plans à jour, je vais chercher ces lingots avec Peter et Kirk. Entre les grandes roches, des gorges à fond de sable paraissent un bon terrain pour le corail et les langoustes. Je fourre en vain ma tête dans les anfractuosités, au ras du fond. J'aperçois au loin mes camarades affairés sur une terrasse rocheuse, ils amarrent les lingots. Le bateau dérive pendant que nous hissons, les lingots traînent sur le fond, s'accrochent comme une ancre et la cordelette casse. J'ai prévu cette éventualité et pris des repères dans le paysage. L'après-midi, je redescends rapidement pour ne pas trop dériver avec le courant. Une oreille me fait mal, j'ai beau souffler dedans en me bouchant le nez, pour l'équilibrer, la douleur augmente. Je survole une chaîne de roches, je vois les lingots. Les derniers mètres oppressent mon oreille. J'amarre une cordelette aux lingots, monte chercher le câble d'acier. Tout se passe bien, sauf pour mon oreille. En sortant, je comprends : elle était pliée sous la cagoule du vêtement, la pression n'a pu s'exercer sur la face extérieure du tympan qui a été poussé de l'intérieur. L'oreille saigne légèrement. Je souffle dedans : le tympan n'est pas crevé.

La fouille reprend le lendemain, mon oreille est douloureuse, je dois descendre très lentement. Kirk, très musclé, m'aide beaucoup pour casser les concrétions qui retiennent un bloc à l'entrée de la crevasse. Le surlendemain mon oreille, lourde, me fait mal quand je mâche. Les Anglaises me donnent de la pénicilline et je continue à plonger.

Sous le bloc qui fermait la crevasse, des branchages font un lit pour une touffe de métal très fin, replié maintes fois sur lui-même, de la taille des deux poings. Le mérou de la crevasse, familiarisé, nous regarde travailler, sa tête à cinquante centimètres de la nôtre. Les Turcs voudraient le faire griller, mais notre amitié le protège. Il s'intéresse particulièrement à la planchette où Honor dessine. Je fais comme lui, car les plans d'Honor m'aident pour réfléchir et comprendre l'épave. Toutefois je n'ai pas à en apprécier la valeur, n'étant baptisé ici que « chef de plongée ».

***

Le jeu des personnalités se ressent du caractère à la fois naturel et artificiel de la vie que nous menons, de trop de soleil, trop de sel sur la peau, de la nourriture incertaine. A la longue, l'isolement fausse les réactions de chacun au sein du petit groupe. Les différences de nationalités ajoutent leur grain de sel aux difficultés psychologiques.

***

Un peu de sable retenu par les roches que nous avons enlevées s'est accumulé au fond de la crevasse. Peter et Bass veulent l'aspirer avec la suceuse. Plutôt que perdre du temps à gréer cet instrument brutal, je préfère enlever ce sable avec nos bidons transformés en seaux et le tamiser à terre. Ils ne m'écoutent pas et installent la suceuse. A leur manière.

Je plonge sous un prétexte quelconque, vois la suceuse couchée sur la pente d'éboulis, avec une trop faible dénivelée entre ses extrémités. Bass manie l'engin avec précaution, la bouche suce dans la crevasse, l'autre bout crache dans un panier métallique. Brusquement, Bass est soulevé par le tuyau qui se cabre, j'éclate de rire, mon masque se remplit d'eau.

Le lendemain 17 juillet, Bass me demande de travailler avec lui. Je dis ne pas aimer la façon dont la suceuse est disposée et annonce qu'elle va se boucher à la prochaine tentative. Je refuse de plonger. Bass remonte bientôt: la suceuse ne fonctionne plus. Peter va voir. Verdict net: elle est pleine de sable.

Par la suite, malgré des tentatives plus logiques et la confection d'une suceuse plus petite, ce procédé sera abandonné. A ma grande satisfaction.

***

Comme les pannes du compresseur se multiplient dangereusement, Peter et Bass équipent des « narguilés » pour remplacer les appareils autonomes. La pompe de scaphandrier, attelée au moteur du *Mandalinci*, nous fournit la source d'air qu'un tuyau souple relie à un détendeur basse-pression sanglé dans notre dos. Tout en appréciant l'ingéniosité de mes camarades, la pensée de travailler au bout d'un tuyau dans un tel courant m'inquiète.

Peter vante les avantages du narguilé aux pêcheurs d'éponges. Il caresse l'espoir de le leur faire adopter à la place du scaphandre à casque, persuadé qu'ils obtiendraient un meilleur rendement, avec un matériel moins coûteux. Kémal semble séduit, les autres montrent une prudente réserve.

Les deux caïques sont maintenant mouillés sur l'épave et, avec l'air immobile de cet été extraordinaire, nous baignons dans la fumée bleue du moteur. L'air puisé dans la petite cabine du *Mandalinci* paraît épais dans la bouche: gaz d'échappement, odeur de goudron, relents de vieux souliers de Kasim.

C'est l'heure de la revanche pour le courant, il trouve une bonne prise sur notre tuyau et le fait vibrer. Nous sommes en permanence entraînés vers l'ouest, comme les peuples en migration ou les chercheurs d'or américains. Il faut se cramponner d'une main dont on perd l'usage pour la fouille. Les cordelettes repères, déjà endommagées, servent maintenant de mains courantes et ne résistent pas. Le tuyau s'embrouille et fait des boucles qui vous coupent l'air.

Un jour, absorbé par le travail, je ne remarque pas que le tuyau est pris sur la corde de descente. Je respire mal depuis un moment quand je manque brutalement d'air. Je me soulève, suis emporté, et me voilà retenu près de la surface, toujours sans air. Je m'épuise en grands efforts pour gagner cette plaque brillante au-dessus de ma tête. J'y parviens exténué, j'ai eu peur. Il eut suffi de dégrafer le narguilé, mais le besoin d'air urgent ne favorise pas la réflexion.

***

Début août, une houle venue du large monte sous la tente, semant la panique. Chacun tire ses affaires plus haut, tous aident à grimper les trésors de la fouille sur une pente trop raide et trop exiguë, près des bassins.

Cette houle, somme toute paisible, nous démontre qu'une tempête enlèverait tout. On envisage un déménagement général sur mes plates-formes, je cesse alors de taquiner les esprits. La houle s'apaise rapidement, l'inquiétude aussi.

***

La partie de la cargaison située dans la crevasse prolonge la ligne de la plate-forme. Malgré quelques menus objets roulés hors de l'épave, l'ensemble des lingots dessine la forme du bateau. Dans la crevasse, la disposition des lingots s'est révélée moins régulière que sur la plate-forme. Je suppose que cette extrémité du bateau portait sur les roches du fond de la crevasse qui l'avaient gardée légèrement soulevée, jusqu'à l'effondrement de la coque, d'où un certain désordre quand les lingots sont tombés sur le fond irrégulier de la crevasse.

J'imagine un bateau approximativement long de dix mètres, large de un mètre quatre-vingts, peut-être moins, donc beaucoup plus fin que les bateaux de commerce romains. Les rares vestiges de la coque semblent indiquer une construction légère. Les compagnons d'Ulysse auraient pu le tirer sur la plage, le soir.

La fouille confirme ma première impression d'une répartition de la cargaison en deux amas distants de quelques mètres. Avait-on réservé un espace au milieu du bateau pour y vivre? C'est difficile à dire car les Turcs connaissent depuis longtemps cette mine de cuivre. On peut aussi supposer une cargaison centrale périssable.

Dans la crevasse, trois lingots en forme de peau de bœuf ont formé, en se concrétionnant, une dalle au pied de la falaise. Depuis des jours, je taille le contour de ce dernier couvercle, quand Bass me fait aider par les Turcs en scaphandre, heureux comme des enfants de participer enfin à nos activités. Leur réputation de force se justifie, ils libèrent la dalle en une séance.

Pour monter les fardeaux délicats, j'ai amené de France des ballons semblables à des montgolfières, qui, une fois gonflés dans l'eau, tirent avec une force d'une centaine de kilos. Nous en fixons un à la dalle et y faisons fuser l'air qui sort de notre embout buccal. Avec un peu d'habitude, on reprend l'embout sans boire. Bientôt le poids s'annule, nous soulevons à la main. La face inférieure de la dalle, nette et dure, nous permet de finir de gonfler le ballon. Par précaution, je contrôle son ascension en le freinant avec une corde filée d'en bas.

Du sable s'était infiltré sous la dalle de lingots, quand la matière organique se tassa. Sous ces quelques centimètres de sable pur, nous trouvons des objets de bronze légèrement concrétionnés, pris dans un sable durci mais encore friable. Sous cette couche, un sable noir mêlé de débris organiques recouvre les branchages protégeant la coque. De cette coque, à plat sur le sol du naufrage, ne subsistent que quelques planches incomplètes. Les unes, étroites, étaient situées à l'intérieur du bateau, en travers de son axe. Elles reposaient sur des planches longitudinales, probablement jointives, qui devaient constituer le bordé. Un morceau de poutre longitudinale, de vingt centimètres de large et environ huit d'épaisseur, borde ces vestiges. On voit une masse de matière blanchâtre et onctueuse, de la pulpe molle que l'eau emporte, du métal mince plié, des outils de bronze, des poids de pierre noire.

La nécessité de tout dessiner et porter sur plan au fond de l'eau, je ne la discute pas. Cependant, à mon point de vue, elle amène à laisser trop longtemps des objets fragiles, des matières organiques encore plus fragiles, exposés à l'eau vive. Protégés depuis des millénaires par une gangue de pierre, ils étaient stabilisés. Leur milieu étant brusquement modifié, une nouvelle phase de corrosion commence. Et puis, surtout, les mouvements de l'eau, les fouilles clandestines des poissons, les gestes trop proches des dessinateurs et des photographes s'avèrent catastrophiques. Lorsque la paperasserie est enfin mise à jour, il ne reste plus grand-chose des matières fragiles.

Nous avons trouvé au fond de la crevasse trois scarabées de style égyptien portant des hiéroglyphes. Depuis, nous sursautons constamment devant les opercules d'escargots de mer de même forme et même taille. Ces opercules pointillent de leurs taches blanches la plupart des fouilles méditerranéennes.

Un matin, plongeant après Honor et Bass, j'aperçois de loin une fumée noire montant de la crevasse. Pourtant la vase soulevée par mes camarades a dû se dissiper. J'approche. Deux rougets frétillent en fouillant la matière délicate mise à nu. Ma main les chasse. Furieux, ils reviennent. Le geste de les harponner avec un piquet gradué les décide à aller exercer leur activité un peu plus loin. Oh ! pas beaucoup. Depuis, Bass recouvre chaque soir le fond de la crevasse avec une feuille de matière plastique lestée de cailloux.

Nous avons rencontré, mêlés à la cargaison, des galets dont la taille varie entre celle d'un œuf et celle d'une tête. Nous les avons baptisés « pierres de ballast », pourtant un sérieux doute plane dans mon esprit sur l'origine de ces galets. On trouve des galets qui ne proviennent pas de l'épave, dans les failles des environs. Au-dessus du site, les roches de l'île comportent des filons de poudingue, avec une provision illimitée de pierres de ballast.

***

Waldemar Illing, encore considéré comme visiteur, a le droit de diriger ses plongées à sa guise. Il inaugure un nouveau terrain de chasse en vidant les petites failles du sol rocheux, au-delà du gros rocher qui borde la crevasse. Il y trouve de menus objets roulés par les mouvements de la mer et retenus par ces failles. Ces bronzes isolés sont bien conservés. Ceux mêlés à la masse des autres métaux ont subi des effets électro-chimiques et beaucoup sont devenus friables sous une surface nette. Herb termine rapidement ses photographies pour aller fouiller une faille concédée par Wlady. Ils rapportent de nouveaux poids de pierre noire. Deux séries se dessinent : poids cylindriques légèrement en forme de tonneaux, poids en forme de fuseaux. Nous ne prêtons pas grande attention à ce grappillage, jusqu'au jour où Wlady ouvre la main et nous montre un petit rouleau de pierre gravée de trois personnages diversement vêtus. L'un, contemplé par les autres, est coiffé d'un grand chapeau à cornes. Nos archéologues croient ce sceau plus ancien que le bateau, le capitaine l'aurait tenu de sa famille.

La beauté de cette pièce, son importance, portent Bass à exagérer l'éventualité d'une dispersion et il officialise le bricolage de Wlady en tendant des cordelettes du côté de l'épave opposé à la falaise. Chacun, dans sa bande, est autorisé à casser les concrétions et doit vider la moindre faille. Cette initiative donne peu d'objets, l'épave était bien localisée.

Bass manifeste une certaine inquiétude en voyant la partie délicate de l'épave mise à nu dans la crevasse. Le courant emporte ses étiquettes numérotées, les photographes en arrachent en se tortillant, en se cramponnant pour ne pas être entraînés.

Je me mets à plat ventre au fond de la crevasse pour tailler, sous ce magma, la roche tendre sur laquelle il repose. Le bloc se détache correctement, malheureusement une partie des vestiges a disparu depuis que la couche de sable durci a été enlevée. C'est un amas d'outils, de branchages ayant encore écorce et brindilles, avec du métal ployé et des restes de planches de la coque.

Un doute subsiste sur les concrétions des derniers soubresauts de la falaise. Nous les livrons aux Turcs en scaphandre qui se font une fête de coups de masses, dans un nuage de poussière diluée, sans rien trouver.

Au camp, Joan emballe les bronzes dans les caisses, elle étiquette, elle numérote, elle nomenclature. La diversité des pièces étonne quand on est habitué aux épaves d'amphores où, d'ailleurs, les instruments de bord et les objets personnels ont été rarement récupérés.

Nous avons rassemblé une quarantaine de lingots en forme de peau de bœuf, complets et une dizaine de moitiés. La plupart portent des marques de fabrique imprimées dans le métal encore mou. Nous avons trouvé beaucoup de morceaux de ces lingots débités avant le naufrage. Le nombre des lingots lenticulaires s'élève à une vingtaine. Les deux amas blanchâtres nous font penser à de l'oxyde d'étain que l'on mélangeait au cuivre pour obtenir le bronze. Les petits objets de bronze ont été trouvés sur toute l'étendue de l'épave et, par endroits, encore groupés. Nous croyons qu'ils étaient rassemblés dans des couffins. Il y a des outils: doubles haches, haches à un seul tranchant, herminettes, un bloc de bronze comportant des trous et des cannelures variées pour forger les clous, un miroir, aussi quelques armes: pointes de lances, hallebardes et des instruments de cuisine: brochettes, trépieds, bols. Les instruments agricoles dominent: pioches, houes, dents de charrue, pelles. Presque tous ces objets étaient cassés avant le naufrage ou usés à ne plus être utilisables. Stockés à bord avec des bouts de lingots, ce bric-à-brac donne l'impression que les marins de ce bateau achetaient « à la casse », comme le font encore les ferrailleurs dans les campagnes. Sans doute refondaient-ils ces vieux instruments. Les lingots de cuivre et l'étain laissent supposer que ces gens fabriquaient des objets de bronze, mais nous n'avons trouvé aucun moule. Les perles de verre et les deux cristaux transparents devaient servir de monnaie d'échange. Les poteries, peu nombreuses: cruches à étrier et jarres à provisions, ainsi que les deux mortiers, devaient être utilisées par ces marins dont nous avons même trouvé des restes de nourriture: noyaux d'olive et os de poisson. De nombreuses pierres à aiguiser de natures diverses témoignent de la fragilité des tranchants de bronze. D'après les lingots et les objets, mes camarades pensent que le gros de la cargaison venait de Chypre et que le bateau aurait coulé vers 1200 avant Jésus-Christ. Quant à sa nationalité, elle paraît syrienne d'après les objets étrangers à la cargaison.

***

Arrivé ici tout novice plongeur, Bass a su comprendre les grandes promesses de l'archéologie sous-marine. J'ai dû parfois refréner mon impatience de marin devant ses hésitations, pourtant légitimes. Je le sentais inquiet, mais il savait où il voulait aller. Sous sa responsabilité, nous avons extrait de la mer, avec plans de phases, la plus importante collection d'objets de cette époque trouvée à ce jour. A cent kilos près mon évaluation première s'est confirmée, nous avons sorti une bonne tonne d'objets. C'est de la chance. J'aurais pu me tromper du simple au double. La chance dans une estimation par le flair fait plus de plaisir que le succès d'une hypothèse fondée sur des calculs.

Il existe un précédent: une drague espagnole qui creusait le chenal du port de Huelva avait remonté de nombreux objets de l'âge du bronze en 1923.

***

Mon congé sans solde va expirer, je dois regagner la France. L'avant-veille du départ, je m'offre une promenade à terre, sur la partie de côté relativement accessible devant laquelle nous passons chaque jour avant d'arriver à la plage. Les Turcs m'ont alléché en parlant d'une faille de la falaise où les habitants des montagnes récoltent du miel sauvage.

Nous escaladons des roches énormes, au bord de la mer. Nous traversons une brousse très en pente, jadis terrain cultivé. Après une lente progression vers la falaise rouge, nous arrivons au pied de la faille à miel. Les Turcs sont très déçus de ne pas voir tourbillonner les abeilles. Le long de la faille, très haute, des bois coincés dans le rocher permettraient à un audacieux de grimper. Nous préférons poursuivre la promenade, marcher devient délicieux lorsqu'on en est privé.

En redescendant, les Turcs me montrent la source, petite mare bordée de traces de sangliers récentes. Quelques vignes devenues sauvages grimpent haut dans les arbres, comme des lianes. Un peu plus bas, des pans de murs rappellent les bergeries en ruine rencontrées chez nous sur les collines de l'arrière-pays. Ce hameau paraît abandonné depuis quelques dizaines d'années.

Je suis frappé par le revêtement intérieur des maisons fait d'un épais mortier mélangé de briques pilées, j'ai déjà vu cela. J'examine les tessons de tuiles et de poteries qui jonchent le sol, il s'agit d'un établissement romain.

LES TUILES

Dès mon retour de Turquie, mon ami Beuchat m'emmène plonger sur une épave de tuiles connue des Marseillais, car il n'y a pas que des épaves d'amphores dans la mer.

Nous mouillons à une quarantaine de mètres de la côte nord-ouest de l'île Pommègues, un pêcheur poète nous vend des oursins. Eau fraîche, très claire, dix-sept mètres de fond. Une masse de tuiles bien visible, légèrement en relief sur un sol de sable et posidonies en pente douce, juste au-delà des dernières roches.

Habitué au désordre des amphores, je suis surpris par la belle ordonnance de ces grandes tuiles plates, à deux rebords, rangées sur la tranche comme les livres d'une bibliothèque. Les rangées ne sont pas toutes disposées dans le même sens. Il y a aussi quelques tuiles rondes en forme de gouttière, semblables aux nôtres, mais je ne vois pas clairement comment elles sont disposées. Un léger désordre s'est produit sur les bords de la cargaison quand les flancs du bateau ont cédé.

La partie visible de l'épave s'étend sur environ sept mètres sur cinq. A une extrémité, la coque affleure le sable: trois planches de bois blanc à l'aspect normal, d'environ quatre centimètres d'épaisseur, qui diminuent de largeur vers leur extrémité. L'étrave ou la poupe ne devait pas se trouver loin. J'ai l'impression d'un bateau nettement plus modeste que les grands transports du commerce des vins.

Toutes les maisons de l'antiquité méditerranéenne étaient couvertes avec ces larges tuiles plates appelées « tegulae », disposées avec un léger recouvrement dans le sens de la pente. Leurs rebords jointifs étaient coiffés d'une rangée de tuiles rondes, appelées « imbrex ».

Il n'est pas étonnant que ces matériaux lourds, encombrants, fragiles, dont la demande était considérable, aient été transportés par mer comme le démontre le nombre des épaves de tuiles. A quelques centaines de mètres de celle que je visite se trouve une autre épave de tuiles. Une à Porquerolles, sur l'éperon nord des Mèdes, est bouleversée par la roche et très pillée. Le Club de la Mer en a découvert une intacte, dans les posidonies, au large de Juan-les-Pins. En Turquie, le Groupe de Plongée d'Ismir en connaît plusieurs. Des archéologues anglais en signalent à l'île de Chios. Jusqu'à présent, les épaves de tuiles découvertes sur notre côte correspondent à des bateaux de taille moyenne.

On pouvait espérer conserver l'épave de Pommègues pour une fouille future, car les tuiles ne se vendent pas au marché noir des souvenirs antiques de la mer. Hélas, même dépourvues de valeur commerciale, ces tuiles tentent le plongeur. Beaucoup sont parties se transformer en guéridons faire des bordures dans les jardins, ou paver des terrasses, tant est grand le désir de prélever.

LE RUSSE

Bien des pointes de notre côte s'appellent « Pointe de la Galère ». J'ai toujours pensé que la forme de ces pointes était plus souvent responsable de leur nom qu'un naufrage. Pourtant, à l'île du Levant, la pointe du Roucas Roux est aussi appelée pointe du Russe à cause d'un naufrage.

Des plongeurs ont vu des canons devant cette pointe. Le commandant Davin, marin retraité fort érudit sur le passé de Toulon, a fait une enquête dans les archives du port. Il m'a fait plaisir en me communiquant le dossier de cette histoire.

En 1780, Louis XVI engagé dans la guerre de l'Indépendance américaine avait admis la neutralité des mers en Europe. Une escadre de la Grande Catherine II était mouillée à Livourne.

Cette escadre passa le 3 novembre dans les parages de Toulon. Dans la soirée, le vaisseau *Slava Rossii* ou

Gloire de la Russie perdit contact avec l'escadre. Sous les claquements de ses voiles blanches ballonnées sur la nuit par la tempête, il vit l'île du Levant trop tard pour l'éviter.

Lancé en 1774 à Arkhangelsk, le *Slava Rossii* était commandé par le capitaine-lieutenant Jean Baskakov dont le grade serait actuellement capitaine de corvette.

Six ou sept matelots furent noyés. Le reste de l'équipage, quatre cent quarante-six hommes et officiers, put se sauver sur l'île, car l'avant du vaisseau resta hors de l'eau, soutenu par la roche.

Le lieutenant général des armées navales commandant la Marine à Toulon, M. de Saint-Aignan, envoya immédiatement du secours par la « tartane du Roy armée en guerre » commandée par le sieur Rabaud.

Vingt-quatre des soixante-quatorze canons furent sauvés. Le commandant Baskakov, invité à séjourner à Toulon, préféra s'installer à Hyères pour attendre une frégate demandée à Livourne. Elle arriva le 10 décembre.

Le 5 février 1882, une frégate russe vint chercher à Toulon les vingt-quatre canons récupérés.

En mars 1961, nous allons sur l'épave du Russe avec l'*Elie-Monnier*. A l'endroit indiqué, nous voyons trois pointes de roches semblables, côte à côte, et je plonge sans savoir quelle est la bonne. J'arrive sur le sable, à quarante mètres, devant la base de la falaise, où niche un étalage de langoustes. Je ne peux me retenir de les ramasser, j'ai maintenant la technique. J'ai d'abord essayé d'approcher insidieusement la main. La langouste tâtait de ses longues antennes, devenait nerveuse et reculait dans son trou. Changeant de méthode, j'ai essayé quelque temps d'envoyer brutalement la main. L'ébranlement de l'eau par mon geste devait parvenir à la langouste avant ma main, car j'en ratais beaucoup. J'ai alors essayé d'intéresser la langouste en agitant gentiment mes doigts devant elle. La bête appréciait la plaisanterie, elle avançait timidement et tâtait ma main du bout de ses antennes. Je refermais la main sur les antennes et tirais brutalement la langouste de son trou pour la saisir avec l'autre main. L'antenne est solidement

Cette figure de proue provient de l'épave
du voilier Garland *échoué en 1900*
et retrouvé dans la vase en 1966 aux îles Falkland.
Roger-Viollet.

fixée, mais il faut faire vite, avant qu'un réflexe de défense n'intervienne pour la sectionner à la base. Après le passage de la première équipe, les suivants voient beaucoup d'antennes abandonnées.

Un jour où je ne tenais pas à avoir des langoustes, j'envoyais tout de même la main, sans réfléchir, d'un geste naturel. J'avais l'animal. Depuis, je les prends comme au marché.

La cueillette me fait oublier le Russe, d'ailleurs il n'est pas en vue. A quarante mètres, nous limitons notre plongée à un quart d'heure, je reviens avec sept langoustes. Mes camarades trouvent l'épave tout près de là.

Nous y revenons deux fois cette année, les épaves quelque temps à la mode chez nous cèdent le tour à d'autres.

Contre la roche où l'avant a touché, j'ai ramassé le plomb de sonde dans une dizaine de mètres d'eau. Long et lourd, il peut me servir à lester une corde de descente quand je plonge avec des amis qui ne pratiquent pas ce rite. Je pourrai aussi le traîner sur le fond au bout d'une cordelette. Ma main le sentira frotter sur le sable, glisser sur les posidonies, sauter sur les roches, buter sur une épave.

En s'éloignant de la roche, le sable est couvert des concrétions typiques des épaves. Je suis la pente, passe au-dessus d'un amas de grosses briques et quelques poutrelles, sans doute le four. Plus bas, dans un terne fouillis, brillent des culs de bouteilles, de vodka bien entendu, parmi des canons ensablés. Formes soudées à d'autres. L'esprit ne peut les assimiler à des objets connus et se satisfait en cherchant un reste de géométrie : sphère, barre, plaque. Vers quarante mètres, cet étalage décevant prend fin sur la plaine de sable nu. Je reviens sur mes pas, trouve un fourreau de sabre en cuir, mou, la lame a disparu, restent la poignée et la garde enveloppées de pierre. En cassant cette gangue sur le pont de l'*Elie-Monnier*, la garde prend une forme de cœur, le bronze de la poignée torsadée paraît doré. Ces gens avaient de petites mains. Au passage je gratte un canon avec mon couteau, il brille. J'en gratte un autre, même éclat. Ils sont en bronze!

Des camarades soupçonneux vérifient: j'ai gratté une plaque de plomb placée à l'endroit où le canon repose sur son affût. Ferraille!

Un midship monte un bloc informe et le casse à coups de marteau sous l'œil narquois des autres. Ils pâlissent bientôt de jalousie quand un joli petit mortier en bronze avec des moulures sort intact du bloc noir et juteux. Probablement un mortier d'apparat destiné à faire du bruit pour saluer. Un autre plongeur monte un mousquet squelettique dont la plaque de couche en bronze est gravée de grandes lettres entrelacées sous une couronne. Une bouteille soufflée à la bouche. Sur toutes les épaves, on voit une quantité de bouteilles si surprenante que l'on attribuerait volontiers le naufrage à leurs effets. Les bouteilles des épaves antiques sont les amphores.

Bargiarelli monte un bloc de concrétions soudé à un morceau de planche, l'expérience du mortier lui évite les moqueries, tout le monde se penche sur la dissection de cette pochette surprise. Il en sort une charge à mitraille faite d'une tige de bois centrale fixée sur un socle circulaire. Autour de la tige sont disposées trente balles de fonte de cinq centimètres de diamètre, en cinq couches de six balles d'un diamètre total d'environ quinze centimètres. Les balles sont encore couvertes de graisse. Un manchon de toile est ligaturé sur le socle et à l'extrémité de la tige.

J'ai hérité de l'une des balles, elle a perdu les trois quarts de son poids, sans modification de sa surface graissée. A plusieurs reprises, je l'ai fait tremper longuement dans l'eau douce fréquemment renouvelée. Inlassablement, quand elle est sèche, elle pleure des larmes de rouille.

Nous avons essayé la suceuse sur le Russe, le bois paraît sous trente centimètres de sable, il me semble voir la coque sans pouvoir l'affirmer. Le bois des bateaux antiques me parle un langage plus familier.

Au cours de nos incursions sur le Russe, nous avons

monté un canon pour décorer la terrasse du G.E.R.S. La gangue de pierre enlevée, on voit des lettres sur une surface parfaitement conservée, mais que le couteau entame facilement. A chaque pluie il en coule un ruisseau de rouille, la terrasse est devenue dégoûtante. Un jour, nous avons rapporté le canon à son épave.

Sur les soixante-quatorze canons du *Slava Rossii*, vingt-quatre furent récupérés à l'époque, un canon de bronze et neuf canons de fonte ont été repêchés récemment par la Marine sous la direction de Tailliez, il devrait en rester quarante. Seuls quelques-uns restent visibles.

Un bateau de la flotte d'Andréa Doria, parti de Gênes pour attaquer Nice, présente comme le *Panama* et le *Slava Rossii* l'aspect définitif des épaves antiques.

Des roches en bordure malmenèrent sa coque, des posidonies vigoureuses ont poussé sur ses reliefs, le sable a envahi ses cavités, des blocs de concrétions semblables aux roches concrétionnées du voisinage dissimulent ses richesses. Sous ce nouveau fond de mer jeune de quatre siècles se cache un grenier de château Renaissance d'accès difficile où j'aime jouer. Des canons marquent le site comme les amphores marquent les épaves antiques. Moins hauts que les tas d'amphores, ils seront ensevelis avant d'atteindre leur âge.

LA CHRÉTIENNE A

Depuis 1950, je n'ai pas revu l'épave de la Chrétienne. J'ai vaguement suivi sa carrière publique à travers les rumeurs du petit monde de la plongée. Je sais qu'elle a ajouté à son nom la lettre A et perdu toutes ses amphores.

En 1953, Barnier y trouva un jas en plomb avec une partie de la verge en bois encore en place, chose très rare. Par la suite, il fit une petite fouille avec les membres du Club alpin sous-marin de Cannes et ramassa, près de l'emplacement de l'ancre, deux blocs de concrétions curieux. Barnier s'aperçut qu'ils étaient creux et contenaient un jus noir. Il les scia. Un moulage en plâtre de la cavité donna la forme parfaite de la hache et de l'herminette du charpentier. L'attention était désormais attirée sur ces blocs de concrétions informes et leurs promesses archéologiques.

J'ai fait amitié avec Jack et Jane Issaverdens dont la

maison au bord de l'eau fait face à la Chrétienne. En été, ils explorent le grand jardin sous-marin, ses taches de sable blanc, ses prairies de posidonies, ses grandes roches dressées et ses concrétions exubérantes sans équivalents sur terre. Je trouve souvent du beau temps chez eux quand le mistral balaie la région de Toulon. Ils m'emmènent voir leurs découvertes, et ces plongées agréables me délassent du travail courant pour la Marine.

Avant la construction de la tourelle qui la signale, la roche de la Chrétienne accrochait des bateaux. Plusieurs épaves découvertes depuis nos premières plongées en témoignent.

Le danger de l'écueil est aggravé par la rencontre de deux vents opposés. Plusieurs fois par an, cet endroit paisible est le théâtre de la lutte entre un violent vent d'est et un vent d'ouest rageur. Ils pulsent tour à tour, repoussant le front étroit et incertain de leur bagarre, et c'est pour un voilier un problème inextricable.

Le 28 mai 1961, je vais jeter un coup d'œil sur ma vieille amie de la Chrétienne. J'ai rarement vu un pareil changement dans un décor. Ce n'est pas un chantier abandonné, mais un endroit nouveau, la mer a travaillé avec les plongeurs.

J'ai toujours aimé observer les actions de la mer. Etant petit, à la première tempête de la fin de l'été je descendais sur la plage. Chaque vague léchait un peu plus haut le sable foulé deux mois par les baigneurs, découvrant parfois des pièces de monnaie qui faisaient mon bonheur. Tout était emporté. A la fin de la tempête, la mer rapportait sur la plage en les triant comme une main les bouts de bois, les morceaux de paraffine, les vieilles sandales, les bonnets de bains fatigués, les jouets cassés et tant d'autres témoins de l'activité de l'été. Je savais d'avance où les dernières vagues allaient mettre chaque catégorie d'objets.

Sans avoir la dextérité de ses franges aux rivages, la mer profonde aime jouer avec le sable encore accessible à sa houle. Depuis le naufrage du bateau romain, elle avait accumulé son sable blanc sur l'épave de la Chrétienne, le sommet du tas d'amphores dépassait seul. Pendant quinze ans, les plongeurs ont arraché au sable les amphores. Patiemment, la mer retirait chaque année le sable en excès pour adapter l'équilibre de ce sable aux nouvelles conditions, facilitant ainsi la tâche des pilleurs.

A l'emplacement du tumulus s'étend maintenant une vaste cuvette à fond de sable où pointe une grosse pièce de bois noirâtre. Je pense à une contre-quille, sans insister, car une plongée passionnante m'attend ailleurs.

Je retourne en septembre à Anthéor et désire montrer la contre-quille à Honor Frost.

La mer a encore joué avec le sable, les plongeurs aussi. Impossible de retrouver la contre-quille. Par contre, hors du sol jonché de tessons informes s'étend une partie du fond du bateau en bon état. Sous le plancher intérieur de bois blanc, les membrures de chêne sont encore solides, les joints des planches de la coque à peine décelables. Nous mesurons, dessinons, photographions. J'arrache un morceau de membrure pour l'étudier à terre et vois avec étonnement l'emplacement de cette membrure tracé sur la coque avec une pointe mousse. Voilà un argument de plus pour penser que la coque était montée avant de recevoir les membrures, contrairement à ce qui se fait actuellement.

Ce bois dessiné par Honor, elle m'en demande un morceau pour analyse. Ma scie traverse une couche molle, imbibée d'eau, puis bute sur un cœur dur qu'elle traverse avec peine. J'abandonne la membrure sous une haie de mon jardin. Je la retrouve l'année suivante en taillant la haie. La couche molle s'est recroquevillée et détachée en fragments comme une écorce, laissant une surface nette, légèrement fendillée. J'en coupe un échantillon et le fais dessaler dans l'eau douce, qui se teinte d'un jus marron. Une fois séché à l'ombre, je le ponce et l'encaustique, il prend un beau poli de couleur sombre. Je m'en sers de presse-papiers. Peu à peu, il s'éclaircit sous l'action de la lumière, les mailles du chêne paraissent, il se rétracte légèrement en resserrant ses fissures. Il aime l'encaustique et paraît plus jeune que le bois de mes meubles. Il m'étonne chaque fois que je le regarde.

17 juin 1962, pour moi une journée de grande chance. A midi à Anthéor la mer s'étale comme un lac huileux, ce calme parfait vous met dans un état d'euphorie particulier. Jack craint pour nos petites cachotteries l'espionnage des plongeurs du dimanche, nous allons à l'épave A de la Chrétienne. Sa désolation est bien connue de tous.

Tache noire au milieu du sable blanc, la contre-quille saille à nouveau du sable. Je dégage son extrémité en ventilant à la main. Cette technique utilisée par tous les plongeurs est appelée « la vente ». On projette l'eau sur le sol d'un geste énergique, le sable s'envole avec les tessons et les concrétions dans les volutes d'un nuage opaque. Pour garder une bonne visibilité, il faut observer le sens du courant, si léger soit-il, et pousser comme lui. Je tâte le courant en soulevant un petit nuage. Quand il reste immobile : courant nul. Alors, tout en creusant, ma main distrait périodiquement un geste plus ample pour maintenir un courant artificiel. J'enlève de la main gauche les débris trop lourds pour le souffle de l'eau. Je suis toujours étonné quand je remonte d'une séance de « vente » de voir la nappe d'eau trouble s'étendre à perte de vue dans le paysage.

Cette contre-quille n'est pas cassée, elle commence là, en plein milieu du bateau, par une extrémité taillée en biseau. L'extrémité est encastrée dans une varangue spécialement entaillée, les varangues suivantes passent dans des entailles pratiquées sous la grosse pièce de bois. Je chasse le sable de plus en plus fort, le bois s'élargit par un ressaut soigneusement découpé, il prend alors une importance dépassant de beaucoup la fonction de contre-quille.

Sous l'envol du sable, un trou carré se dessine. L'emplanture du mât ! Le cœur du bateau, jamais vu sur une épave antique !

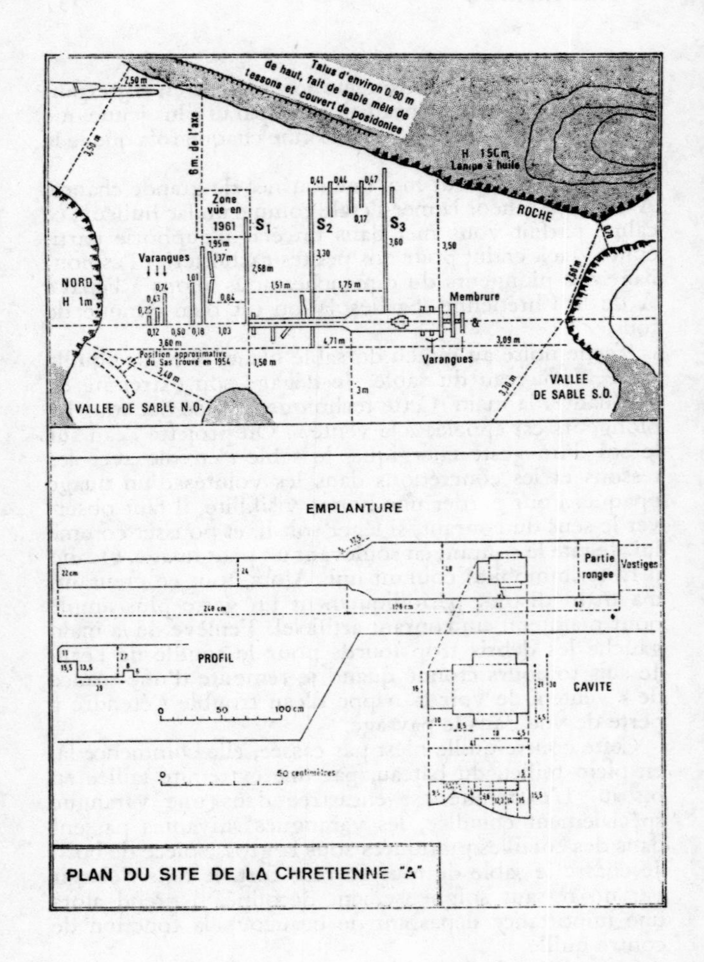
Talus d'environ 0,80 m de haut, fait de sable mêlé de tessons et couvert de posidonies
2,50 m
3,50 m
6 m. de l'axe
H 15Cm
Lampe à huile
ROCHE
Zone vue en 1961
S1
S2
S3
0,41
0,44
0,47
0,17
3,30
3,60
3,50
1,95 m
1,37 m
2,68 m
Varangues
NORD
H 1m
0,74
0,43
0,25
1,01
0,84
1,51 m
1,75 m
Membrure
0,12
0,60
0,18
1,03
3,60 m
4,71 m
3,09 m
Position approximative du Sas trouvé en 1954
3,40 m
1,50 m
Varangues
3m
0,70
2,60 m
3,30 m
VALLEE DE SABLE N.O.
VALLEE DE SABLE S.O.
EMPLANTURE
22 cm
24
17,5
48
Partie rongée
Vestiges
240 cm
196 cm
41
82
PROFIL
CAVITE
0
50
100 cm
50 centimètres
PLAN DU SITE DE LA CHRETIENNE "A"

Excité au plus haut point, je fais voler tout le sable de la cavité, découvre une monnaie de bronze collée au fond par l'oxyde. Cette pièce évoque en moi de vagues souvenirs, elle a été mise là ! Elle a un sens ! Ce geste humain conservé deux mille ans sous le sable mérite de réfléchir. Je remonte.

Bien sûr, cette pièce a un caractère votif ! Un ami avait bien mis un louis d'or sous le mât de son yacht.

Alors, réaction naturelle, un doute s'insinue en moi, on me dira que cette monnaie s'est échappée d'une main maladroite ou d'une poche trouée, qu'elle a glissé à travers les amphores et s'est faufilée dans le trou où reposait le mât.

Le caractère symbolique de ce disque d'oxyde retient seul mes mains qui me démangent d'un désir de gratter. Je confie la pièce au professeur Mollat qui a la gentillesse de la faire nettoyer par le cabinet des Médailles. En fort bon état, elle porte une tête de femme arrogante, coiffée à l'égyptienne. De l'autre côté, une couronne de laurier entoure quelques lettres illisibles.

M. Yvon, conservateur au cabinet des Médailles, l'a identifiée. Elle a été frappée à la ville de Cossura, dans l'île de Pantelleria, entre 217 et la première moitié du siècle avant Jésus-Christ, avec une inscription restée phénicienne sous l'occupation romaine. Cette monnaie cadre avec l'opinion de M. Benoit qui fait remonter l'épave à 75 avant Jésus-Christ.

J'apprends que la coutume de la pièce votive persiste encore en Espagne, en Angleterre, en France aussi. Je consacre un long chapitre de mon livre *Epaves antiques* à la Chrétienne, sans oser parler de la pièce votive, craignant le sourire des archéologues.

En septembre 1962, une excavation du lit de la Tamise, pour améliorer la tête du pont de Blackfriars, met à découvert la carcasse d'un bateau d'époque romaine. L'année suivante, Peter Marsden, jeune étudiant, trouve dans une cavité de l'un des bois de la carcasse une monnaie de bronze de l'empereur Domitien, frappée à Rome et datée de 88 ou 89 après Jésus-Christ. Le bois de faible taille où se trouve cette cavité est disposé transversalement au bateau, fait curieux pour une emplanture de mât. Peter Marsden enquête en Angleterre sur la coutume de la pièce votive, pratiquée jusqu'à il y a une trentaine d'années. Un constructeur de bateaux dit que son père mettait un souverain or avant 1914. Après la guerre, il mettait seulement une demi-couronne. Sur les petits bateaux à mât amovible, on préférait mettre la pièce, à jamais inaccessible, dans la mortaise de l'étrave ou de l'étambot. Un directeur de chantier raconte la surveillance exercée sur le charpentier qui répare un mât, à cause de la pièce. Cette coutume aurait cessé à la généralisation de la construction en fer.

Mon camarade Chevalier fouille une épave romaine à Port-Vendres en novembre 1963 et dégage l'emplanture du mât. Il cherche la pièce. Elle est là ! Bronze de l'empereur Constantin frappé à Londres au début du IVe siècle après Jésus-Christ.

Mon éditeur a du retard, j'ai le temps de glisser dans mon livre une note officialisant le rôle votif de ma pièce.

Bien qu'empreinte du caractère joyeux d'une naissance, cette monnaie me fait penser à l'obole à Caron mise dans la bouche des morts pour payer le passage du fleuve Styx sur la route des Enfers. L'obole aide à dater les tombes, la pièce votive mettra fin, dans certains cas, aux controverses soulevées par les poteries des épaves.

Il faut maintenant remonter aux origines de cette coutume, la poursuivre à travers les remous du Moyen Age, la rechercher chez les diverses nations de tous les temps.

La pièce était-elle mise comme un simple porte-bonheur ou correspondait-elle à un mythe précis devenu tradition? Représentait-elle la survivance du sacrifice fait aux dieux pour le lancement du navire? A quel personnage important le geste de placer la pièce était-il réservé? Etait-elle mise face en l'air ou en bas? Que mettait-on sous le mât avant l'invention de la monnaie?

Car des bateaux naviguaient depuis longtemps quand,

au VIIe siècle avant Jésus-Christ, apparurent les premières monnaies. Or la pièce votive, cas particulier d'une coutume beaucoup plus ancienne, représente le « dépôt de fondation », ces objets précieux que l'on mettait dans le soubassement ou le mur de fondation d'un édifice pour rendre les dieux propices à celui-ci. Comme le rite de la pièce votive, celui du dépôt de fondation a résisté au temps et, de nos jours, on ne s'étonne pas de voir un ministre poser la première pierre d'un édifice public.

Actuellement, nous plantons le mât dans un trou tout simple dont il ne doit plus sortir. A la Chrétienne, la cavité, rectangulaire, présente un profil à deux pentes opposées, avec, de chaque côté de la grande cavité, un évidement latéral peu profond à la surface de la pièce de bois. La monnaie était placée au fond de la grande cavité où devait reposer le pied du mât. La petite cavité me donne l'impression d'être faite pour recevoir une cale. Chevalier trouvera cette cale en place à Port-Vendres, et notera les mêmes caractéristiques qu'à la Chrétienne, bien que le bateau soit postérieur d'environ quatre cents ans.

La complexité de la cavité qui recevait le pied du mât antique fait penser à un élément de mécanisme qui ménage une possibilité de mouvement, par exemple pour rabattre le mât.

Fait assez étonnant, nous n'avons pas encore vu un tronçon de mât antique en place. Un mât rabattable a pu basculer d'un seul bloc quand les cordages ont lâché et se retrouver en eau vive, sans protection. Il a pu aussi monter en surface. Mais peut-être que tout simplement le mât était fait d'une essence de bois qui ne se conserve pas dans la mer.

L'axe du bateau de la Chrétienne s'étend dans la longueur d'une cuvette d'environ douze mètres sur six. L'épave penche légèrement vers une barrière rocheuse près de laquelle six extrémités de membrures émergent du sable, à trois mètres cinquante de l'emplanture. Une bonne partie de la coque est donc conservée. Dans l'ensemble, il reste peu de sable sur le bois et, par vingt mètres de fond, le travail serait facile. Je suis tenté de profiter de ces conditions favorables pour me livrer à une petite fouille à la main, sans aide, démonstration pour les archéologues réticents. Mes amis m'hébergent gentiment, leur canot pneumatique suffit pour le kilomètre qui nous sépare de l'épave. Nous voici en juin. Tout l'été devant moi.

Mon travail pour la marine me permet d'aller à la Chrétienne les samedis et dimanches et de prendre de temps en temps quelques jours de congé. Je ne me doute pas de la somme de travail que nécessitera cette étude.

Pour ne pas perdre une minute sous l'eau, je pense à ma plongée en roulant vers Anthéor, j'envisage toutes les éventualités de mon programme et leur prépare une réponse. Il n'y a que cent dix-huit kilomètres, mais on traverse des villages agglutinés sur une rue trop étroite où les rencontres de poids lourds font des bouchons. La route serpente, je bute sur des camions poussifs, talonnés par des deux-chevaux Citroën qui papillonnent à gauche dans l'espoir présomptueux de doubler dans une longue ligne droite. Les vignes verdissent les plaines, grimpent les collines. Les vendanges font sortir une nuée de véhicules bizarres, traînés par des chevaux ayant péniblement survécu à la motorisation.

Je plonge matin et soir, remonte quand mes bouteilles sont vides. Ici, au bout de trois quarts d'heure. Parfois un travail pénible augmente la consommation d'air, la plongée est écourtée.

Je compte limiter cette étude à un examen sommaire et, au début, je fouille sans méthode, creusant le sable par-ci, par-là, pour satisfaire ma curiosité. Une curiosité croissante. Je vois une coque en excellent état puis, brusquement, décrépite, mangée par les tarets, sans raison apparente. Je ne peux faire la part des dégâts du temps et de ceux des plongeurs.

Je n'enlève pas le sable, je le déplace. Un trou creusé en bouche un autre et, au fond de ce trou, de nouveaux problèmes me poussent à élargir ou recreuser d'anciens trous pour comparer. A la fin de chaque séjour je rebouche tout et dissimule le bois en relief sous des blocs de concrétions, car je ne suis pas seul à évoluer sur le site. Le camp international du Dramont fournit des Allemands, des Suisses et des Belges, je rencontre même des plongeurs locaux. L'insistance que je déploie sur ce gisement si pillé les intrigue et les inquiète. Ils fouillent après moi et saccagent souvent le bois.

Malgré quinze ans de pillage, je déterre parfois une amphore sans col que je laisse en évidence. J'en suis rapidement débarrassé.

Les plongeurs ont trouvé une nouvelle mine d'amphores derrière la barrière rocheuse. La fouille pirate progresse favorablement et détourne de la cuvette une activité désastreuse. Je vois, en arrivant, un grand nuage d'où sortent des nageoires. Ils creusent sans voir, avec une petite pioche. Leurs mains tâtonnantes ne connaissent que les amphores. Quand, après leur départ, le nuage s'est dissipé, je ramasse dans les déblais des bouchons d'amphores magnifiques, identiques à ceux de la cuvette. Une partie de la cargaison est donc séparée. Pourquoi?

J'ai acheté un double décamètre en nylon plastifié et un mètre pliant en acier inoxydable. J'écris et dessine sur une plaque en matière plastique dépolie au papier de verre sur laquelle le crayon s'efface difficilement. Pour empêcher le crayon de se décoller, il faut l'entortiller avec un ruban adhésif ou le faire entrer de force dans un tuyau de plastique. Je relève les angles avec deux règles plates d'écolier en matière plastique, rivées ensemble par leur extrémité. Le frottement maintient l'angle, que je trace aussitôt sur la plaque à dessin. Un instrument muni d'un rapporteur me ferait craindre les erreurs de lecture dans l'eau sale. J'ai perfectionné mon outil en fixant un petit niveau à bulle d'air sur l'une des règles, je peux ainsi mesurer les angles par rapport à l'horizontale. Je descends ce matériel dans un sac transparent, bien pratique pour trouver l'instrument désiré.

Faire les plans des divers éléments de ce bateau

devient si fastidieux que j'envie les plongeurs qui m'entourent, dont seul compte le plaisir.

Aggravée par le beau temps de l'été, la corvée de mettre au propre les relevés de chaque plongée me fait préciser des problèmes qui m'avaient échappé sous l'eau et qui conditionneront la plongée suivante.

En général, une fouille sous-marine se complique de bateaux, de personnel, de crédits à utiliser au mieux, de personnalités à ménager. Ici, je jouis d'une autonomie totale, grisante, je lutte uniquement avec l'eau et le sable.

Semaine après semaine, cette illusion d'être mon maître se dissipe. Le site s'impose, dictant sa méthode propre et me libérant d'une responsabilité qui finissait par être gênante. Je ne conduis plus la fouille, je la subis.

Le matin, de la surface, je vois l'épave à vingt mètres sous moi dans une eau très claire, c'est le bon moment pour les photographies. Nous avons constaté dans toutes les mers que l'eau se trouble l'après-midi. La lumière doit faire éclore et épanouir beaucoup de micro-organismes constituant le plancton.

Le matin, un léger courant écarte lentement ma production d'eau trouble. L'après-midi le nuage de vase s'épanouit dans l'eau immobile. Parfois j'abandonne, sors du brouillard et regarde les alentours. J'ai trouvé ainsi un bracelet de bronze terminé par deux fines têtes de poisson stylisées et une lampe à huile en terre cuite avec des traces de vernis noir. Tombée dans un creux de la barrière rocheuse, à un mètre quarante au-dessus du sol actuel de la cuvette, cette lampe a dû échapper aux pilleurs par sa situation élevée, trop évidente.

Le courant qui balaie la Côte d'Azur d'est en ouest me serait précieux, mais cette année il est discret. Les plongeurs connaissent bien ce courant qui, lorsqu'il bute sur les socles sous-marins ou entre dans les passes, s'exaspère et devient gênant. Sa force varie d'un jour à l'autre, parfois il s'annule ou s'inverse.

Certains jours je trouve la couche froide et claire au ras du sol. La Méditerranée ne se réchauffe pas dans sa masse. Quand les baigneurs de l'été barbotent en eau tiède, les plongeurs retrouvent vite l'eau froide. A la fin de l'été, elle descend vers quarante mètres. Seule la couche chaude est mue par le courant côtier, et je préfère souvent affronter le froid à remonter le courant. Par mistral, la couche froide monte et atteint la surface en quelques jours, pour redescendre rapidement à la fin du coup de vent. La limite entre ces couches reste nette et sans transition, on touche l'eau froide à la main.

Quant à la Chrétienne, la couche froide se tient au voisinage du sol, c'est un désastre pour les photographies. Mes évolutions brassent deux eaux dont les indices de réfraction diffèrent, je vois vibrer l'eau comme l'air de l'été au ras d'une route chauffée par le soleil.

Notre poids prend en plongée une importance capitale, il conditionne notre rendement. Il se règle avec des plombs fixés à la ceinture. Trop lourds, nous nous traînons et nous fatiguons, trop légers, nous devons nager inclinés vers le bas et ne pouvons agir sur le sol sans nous envoler. Je me mets à l'eau avec huit plombs de un kilo qui m'entraînent jusqu'au fond sans effort. J'enlève des plombs pour être en équilibre indifférent et prendre les photographies sans troubler l'eau. Quand je mesure, j'ajoute des plombs pour me sentir plus stable sans être gêné dans mes déplacements. Pour creuser, j'aime être franchement lourd, je complète les huit kilos. Je peux même accrocher à ma ceinture un poids supplémentaire de cinq kilos. Chaque fois, la pesanteur de mon corps retrouvée me donne un moment d'angoisse. Pourtant ce surcroît ne devrait pas s'accompagner d'inquiétude, un seul geste vous libère de la ceinture.

J'ai essayé, sans conviction, de creuser les tranchées avec une pelle à charbon, de les reboucher avec un petit râteau. Ces outils ne font pas courir l'eau comme la main, le nuage soulevé devient vite prohibitif. Je tiens essentiellement à y voir, d'ailleurs je crois la main et l'eau tellement plus efficaces pour jouer avec le sable.

S'il me faut une certaine dose de patience, que dire de Jack et Jane qui attendent, là-haut, la fin de mes longues plongées. Inactifs. Jack s'incline devant le côté sportif d'aller jusqu'au bout, mais Jane prend la A en horreur car je délaisse pour cette épave publique ses découvertes personnelles encore pleines de mystère, que je suis chargé d'éclaircir.

Le pillage a repris dans la petite vallée qui prolonge l'épave au nord-est. L'un des trous fraîchement creusés a dégagé une barre de bois blanc, de section carrée, terminée par un tenon. Ce bois ne fait pas partie de la coque. Est-ce un élément du gréement? Intrigué, mais écœuré par cette extension de la zone à examiner, je repousse le sable. Dans le prolongement de la pièce au tenon paraît un énorme bois massif, avec une entaille dans le flanc, et qui s'élargit dans le sol. Il a trente centimètres de diamètre, ensuite sa section devient carrée. Je n'avais jamais vu cela sur un bateau romain. Un peu plus loin je dégage une autre pièce de bois analogue, avec une chape de plomb à une extrémité. Cette paire me fait penser à des bittes d'amarrage. Le sable est mêlé de débris de bois divers, de tessons d'amphores, de tuiles et de poteries fines. On sent là une structure effondrée et, pour comprendre, il faudrait faire une fouille méthodique avec plans de phases. Le temps me manquerait. N'osant pas creuser plus bas ni plus loin, je rebouche.

Deux mois plus tard, en émergeant du nuage en fin de plongée, j'aperçois au loin la pièce à l'entaille posée sur les posidonies. Des plongeurs l'ont arrachée, déplacée et abandonnée. Provisoirement sans doute. A bout d'air, je demande à Jack de descendre l'amarrer. Elle est énorme. L'extrémité ronde porte les traces d'une chape de plomb, un fragment du bois blanc dans lequel elle était encastrée est resté attaché à son flanc. La bitte d'amarrage trempera plus de trois ans dans un bain protecteur, sous la surveillance de Bouis, avant d'attendre, en séchant lentement, un verdict sur son état de conservation.

Partout où je mets à nu le plancher intérieur du bateau, appelé vaigrage, je trouve un lit de fins branchages qui me rappellent les branchages plus gros sous la cargaison métallique de l'épave de Turquie. Il s'agit vraisemblablement d'une protection.

J'ai mesuré l'inclinaison de l'épave sur la pièce d'emplanture: vingt-cinq degrés vers l'est. Une grande partie d'un flanc en parfait état a conservé sa forme. Toutefois, un léger décollement s'est produit près de l'axe du bateau, entre les couples et la coque, sous l'effort anormal des amphores sur ce flanc appuyé contre le sol. Le flanc ouest, moins protégé par la cargaison et cassé, a disparu.

Je sens là un grand bateau, d'ailleurs la quantité d'amphores transportées et la taille des bittes d'amarrage en témoignent. Je ne vois qu'un moyen de préciser ses dimensions: tracer des sections au voisinage du mât. Je creuse avec ma seule main une tranchée profonde de quarante-cinq centimètres pour dégager entièrement une membrure. Je m'essouffle, crains d'avoir enterré mon matériel et le cherche à tâtons. Quand l'eau s'est éclaircie, je tends une cordelette horizontale entre l'emplanture et un piquet planté au bout de la membrure, longue de trois mètres soixante. Pour noter les hauteurs tous les vingt centimètres entre la cordelette et la membrure, il faut mesurer dix-neuf fois. Affairé au point d'oublier l'eau, je me trouve bien maladroit et peu rapide. La même opération à un mètre cinquante de là me donne une section légèrement différente. Ce bateau, de belles formes, assez aiguës, était incliné vers la barrière rocheuse et le niveau de son pont devait se trouver, au minimum, à la hauteur de l'arête de cette barrière, puisque la lampe à huile avait dégringolé par là avec d'autres tessons. Je porte donc cette arête sur le plan de la section la plus voisine du mât et prolonge celle-ci. Cette coupe du bateau lui donne une largeur de huit mètres.

D'après les proportions des bateaux romains, trois à quatre fois plus longs que larges, celui-ci devait mesurer vingt-quatre à trente-deux mètres, il ne pouvait pas tenir dans la cuvette.

En fait, les pilleurs trouvent les mêmes amphores

au-delà de la barrière rocheuse, il me faut agrandir le plan du site, mais une roche de six mètres de haut fait un obstacle dans l'axe du bateau. Je dispose une bouée de chaque côté de la roche, en réglant le flotteur assez haut. Sans courant, les bouées restent bien verticales. Jack m'aide à mesurer la distance entre les flotteurs.

Mon étude s'achève dans le regret de n'avoir vu qu'une portion de coque voisine du mât. En cette partie, des demi-couples alternent avec des couples à varangue triangulaire. Les extrémités des demi-couples s'affrontent en biseau au-dessus de la quille, ménageant un espace pour laisser écouler l'eau à fond de cale. Au sud du mât, la partie inférieure des varangues est entaillée dans ce même but. C'est le « trou d'anguiller ». En outre, le triangle de la varangue est percé en son centre d'un trou de quatre à cinq centimètres, déjà vu au Grand Congloué et d'usage inconnu. Au nord du mât, les varangues ne présentent plus d'entaille ni de trou central. Pourquoi? Je sens là un argument important, sans pouvoir l'interpréter, content tout de même de poser le problème.

La coque n'est pas doublée de plomb.

Je me torture l'esprit pour chercher l'avant afin de mieux comprendre la dissymétrie du trou où reposait le mât. Ancre et bittes d'amarrage situées au nord me semblent plaider pour l'avant, pourtant un bateau peut en comporter également à l'arrière. Or les morceaux de tuiles voisins des bittes proviennent, d'après l'iconographie, d'un abri sur le pont, situé à l'arrière. Trop d'arguments me manquent que donnerait probablement une fouille complète.

Avant de quitter le site je désire protéger la cavité de l'emplanture. A l'aide d'un ballon, je soulève un gros bloc de pierre, au pied de la tourelle distante d'une cinquantaine de mètres. On ne se lasse pas de voir l'air prisonnier de l'eau transformé en un travailleur fort et discipliné. Jack remorque. Pendant que je dégonfle le ballon le courant nous entraîne, le bloc descend hors de l'épave. Nous retrouvons le ballon tout ridé, mais il est facile de le regonfler légèrement pour traîner l'ensemble sur l'épave. Je dépose délicatement le rocher sur la cavité, puis entasse sur le bois toutes les grosses concrétions éparses dans la cuvette. Bien entendu, cette protection, efficace contre les éléments, ne résistera pas aux plongeurs.

Je ne voudrais pas que le lecteur puisse prendre mon étude du site de la Chrétienne A pour un véritable travail d'archéologue. Nous, amateurs d'archéologie, manquons de compétence et de discipline. Nous devrions limiter nos ambitions à une exploration destinée à rendre compte de l'apparence d'un site. Je comptais m'en tenir là et, si je suis allé peut-être trop loin, c'est poussé par le désir de comprendre le bateau antique et la peur de voir ces vestiges rapidement détruits.

J'ai surtout vu, en soulevant le sable, les détails que je cherchais. J'ai creusé pour observer, mais aussi pour interpréter, or l'idée préconçue nuit considérablement à l'observation, qui doit être traitée comme une fin en soi. Des détails dont j'ignore l'importance m'ont échappé et ne peuvent être élucidés par mes notes incomplètes. Un petit détail négligé peut se révéler plus tard la clef d'un grand problème.

L'archéologue qui dirige une fouille n'interprétera pas fatalement les documents recueillis par lui et, s'il le fait un jour, ce sera beaucoup plus tard. Il observe et note les plus infimes détails, et son entraînement consiste justement à tout voir. Comme on l'a si souvent écrit, la fouille est destructrice, seuls subsistent les documents recueillis. J'irai plus loin, l'archéologue se méfie comme d'un grand danger de la tendance trop humaine de vouloir interpréter au risque d'orienter une recherche qui doit aller dans toutes les directions.

LES BAIGNOIRES

Peu de tourelles bâties sur un écueil ne dominent pas une épave romaine.

En mars 1957, l'*Elie-Monnier* va en mission à La Ciotat. Nous en profitons pour visiter l'épave découverte au pied de la tourelle située entre l'île Verte et le Bec de l'Aigle. Je survole deux ancres romaines en fer soudées à la roche en pente, réduites à l'état de tuyaux de pierre. Plus loin, je trouve un petit jas en plomb, puis descends dans une faille où les débris d'amphores se mêlent aux posidonies d'un sol remué récemment. En récupérant quelques amphores nous apercevons, coincée dans une petite faille à l'extrémité du site, une étrange poterie, épaisse, massive, engagée dans le sol. Aussitôt la suceuse en place, je m'installe à cheval sur la buse que je maintiens entre les genoux et j'enlève les pierres, les concrétions, les débris d'amphores, à mesure que le sable disparaît. L'objet mystérieux, couleur de plomb, devient plus net dans le sol, c'est bien de la terre cuite. Peu à peu se dessine une forme qui ressemble à une baignoire sabot à l'envers. L'eau s'est troublée, le froid m'abrutit et, avec lui, l'inquiétude me prend de ne pas achever le dégagement pendant ma plongée. Je me coince de partout à la manière des poulpes et empoigne la poterie. Le sol remue d'une façon encourageante. Un effort prolongé bascule l'objet dans un nuage jaunâtre. Horreur ! C'est une manche d'aération ! Affolé, je tâte la partie effilée que je crois destinée à pénétrer dans le pont, elle est bouchée par une paroi, rassurante. Le nuage s'éloigne, c'est bien une baignoire, comme une chaussure de géant.

M. Benoit a déjà des amphores provenant de cette épave, qui portent les marques de familles connues en Campanie. Notre trouvaille sera une pièce unique pour son musée.

« Ce type de baignoire, dit-il, utilisé en Grèce depuis le XVe siècle avant Jésus-Christ, s'est perpétué à l'époque hellénistique. Celle-ci n'a pas la banquette des baignoires grecques. »

Les baignoires antiques ne doivent pas être très rares dans la mer car j'en pêche une autre cinq ans plus tard. Je travaille alors fébrilement sur la Chrétienne et, pressé par le temps, j'ai allongé le week-end par un jour de congé. Il y a tant à faire sur cette épave. Jack et Jane continuent à explorer tranquillement les environs. Ils sont très excités depuis deux jours par un col de dolium ensablé de l'autre côté de la roche portant la tourelle. Le dolium, énorme jarre sphérique, classique sur les bateaux romains, devait contenir la provision d'eau. Ce site voisin de la A, très pillé, en désordre, ne m'intéresse pas. Le sable dissimule du bois et des débris d'amphores là où plusieurs bateaux brisés par l'écueil ont dégringolé. J'appelle ce type de site un « complexe ».

Mes amis insistent tellement pour me montrer leur dolium qu'il va falloir perdre une plongée précieuse.

Dans l'après-midi, Jane a l'air si malheureuse de me voir préparer à descendre sur la A, que je la suis vers le dolium. De très haut, je vois un rebord engagé dans une touffe de posidonies, au pied d'une petite roche isolée. Très beau il amorce une forme carrée. Le flanc, au lieu de s'évaser, rentre légèrement. Avant d'atteindre le fond je reconnais une baignoire.

Accroupi, avec une bonne prise sous le rebord, j'essaie des tractions. Il me semble sentir remuer mais je ne pourrai jamais arracher une masse pareille aux racines des posidonies. Avec la main de fer, petit outil de jardinier à trois griffes, j'arrache les herbes, dégage le rebord intact, car l'autre est en partie cassé. Tout le pourtour maintenant en relief, quelques tractions sans résultat font tourner ma tête, je remonte.

Avec l'étalement des vacances chez les étrangers, des pilleurs sévissent déjà partout. Je dois partir ce soir. Il nous paraît très risqué d'abandonner ce morceau de choix en évidence. Malgré l'heure tardive, nous allons chercher un ballon, engin souvent utilisé pour le pillage des amphores et avec grand succès.

Jack descend un bibouteille où il reste assez d'air pour gonfler l'engin. Je ceinture le haut de la baignoire avec la corde fixée au bas du ballon. L'air comprimé fuse avec ce bruit qui surprend toujours. Tendu à bloc au fond de l'eau, ce gros ballon jaune assez surprenant commence à m'inquiéter, car rien ne bouge. Je tire très fort sur la baignoire, le sol remue, c'est bon. Majestueusement, la baignoire se soulève hors du sable. Telle une nacelle d'aérostat, elle décolle lentement, monte sans se presser, enfumant le ciel comme un incendie de forêt.

La baignoire se dandine près de la surface, pleine de racines de posidonies feutrées de sable. Pendant le remorquage laborieux vers la villa de mes amis, nous dérivons beaucoup. Ensuite, il faut barboter pour arracher les racines, avant de mettre la baignoire en sûreté. Magnifique, de forme normale, elle porte une marque sur le rebord.

M. Benoit, ravi de ce nouvel exemplaire d'un autre type, déchiffre le nom du fabricant:

C. SABIN(us) COMM(unis) AUCTYS FEC(it)

et date la baignoire du Ier siècle.

Il ne semble pas que l'Antiquité ait connu les paquebots mais des sortes de cargos mixtes, vraisemblablement très inconfortables.

Nous nous demandons si l'on embarquait une baignoire quand un hôte de marque montait à bord.

A plusieurs reprises nous avons fouiné sur le site pour chercher le morceau manquant. Nous avons rencontré bien des choses d'époque. Nous avons eu des émotions en apercevant des demi-amphores ensablées. Jane prétend que le morceau est déjà en Suisse ou en Belgique.

L'ÉPAVE DES BOLS

J'appris la découverte de cette épave par le journal varois *République* du 6 décembre 1960.

En juillet 1962 nous allons en Corse avec l'*Elie-Monnier* repêcher pour enquête, devant Calvi, les restes d'un avion tombé à la mer par soixante-treize mètres de fond. Dans une eau très claire, je fais à la lumière du jour les photographies les plus profondes de ma carrière.

J'ai la chance de rencontrer sur le quai l'homme de l'épave des bols, Raibaldi, jeune enthousiaste de la plongée, heureux de contribuer à la connaissance des épaves. Il a créé ici un club de plongée. Il se fait un plaisir de m'emmener sur son bateau avec quelques touristes discrets.

Nous suivons la côte rocheuse, découpée. Nous passons encore un cap et Raibaldi mouille. Ce n'est pas là, mieux vaut d'abord faire plonger les clients.

Nous allons ensuite mouiller à environ trente mètres de la falaise, je descends avec Raibaldi. Par vingt mètres de fond, nous arrivons sur des éboulis en pente douce vers la plaine de sable où végètent des posidonies maigrelettes. Un invraisemblable fouillis de vieux bols s'entasse dans les interstices de roches moussues d'algues courtes. Quelques bols sont encore empilés les uns dans les autres, beaucoup dévalent la pente ou couvrent les roches plates. Cet étrange étalage s'étend parallèle à la côte sur une trentaine de mètres et, dans le sens de la pente, sur une dizaine de mètres. S'il me fallait chiffrer ces poteries, je parlerais de dix mille pièces.

Au centre du champ de vaisselle, des roches plus hautes font un relief moins riche en bols. Le bateau a dû se casser sur cette arête.

Beaucoup de bols ont déjà été remués par des plongeurs aux mains chercheuses et, naturellement, les pièces cassées ou ébréchées ont survécu. Cette faïence émaillée est décorée au centre d'une sorte de chrysanthème incisé de couleur plus sombre, ou d'une étrange croix.

Des poissons s'écoulent des intervalles entre les blocs pour être avalés par les roches un peu plus loin. Leur manège me donne l'idée d'enfoncer le bras dans ces intervalles, ma main tâte des bols que je retire intacts. Tout cet éboulis est resté creux, l'eau y circule profondément. Je nage dans toutes les directions sans voir la moindre trace du bateau. Ce support ajouré ne lui a pas permis de se protéger par la désagrégation de son bois, car les détritus de sa décrépitude se sont infiltrés sans former un lit protecteur. Le bois, lavé par l'eau jusqu'à disparaître, a abandonné la cargaison. Les poteries se sont concrétionnées. Je rapporte des bols dans mon filet. Les concrétions encore mouillées sautent facilement sous la pointe du couteau. Si vous les laissez sécher, elles se cramponnent comme du ciment. J'ai essayé de mouiller à nouveau des objets concrétionnés, il est trop tard, la couche reste dure et adhérente.

Sur fond d'émail marron, ou jaune, chamois, crème, vert, blanc, le chrysanthème domine mais il y a aussi des croix ou des dessins géométriques, avec des variantes dans la facture de chaque décor. Tailles et formes sont également variées. Certains bols avec un large rebord horizontal rappellent les plats à barbe.

J'ai déjà trouvé des morceaux de poteries de ce type sur un bateau de guerre, probablement italien, daté par des monnaies d'argent de la première moitié du XVIe siècle.

LES LINGOTS

En 1962, sur le bateau qui fait le service entre Bandol et Bendor, île proche où est installé le Centre de plongée, j'entends parler de lingots portant des marques, pêchés par les moniteurs. Je questionne un camarade du centre: les lingots ont été trouvés au pied de la tourelle des Magnons, il n'y avait rien d'autre. Je demande à mon camarade d'apporter ces lingots à M. Benoit, mais nous vivons dans le Midi, ils n'arrivent au musée Borély que l'année suivante.

L'enthousiasme de M. Benoit me décide à aller plonger sur le site.

Le 24 août, trajet dans le canot pneumatique. La violence des secousses atteint le comique. Quelques minutes suffisent à cet engin démoniaque pour traverser la baie. Au bas de la roche en pente qui porte la tourelle, par quinze mètres de fond, nous fouillons des touffes de posidonies dans ce décor si familier pour moi. Nous creusons dans les graviers autour de petites roches, découvrons quelques lingots de plomb. Je me pique les doigts sur des oursins.

Parmi les questions plus ou moins naïves que l'on pose aux plongeurs revient fréquemment : « Quel est l'animal le plus dangereux de la mer ? » Je réponds sans hésiter : « L'oursin ». Cet animal a de lui-même peu à peu fait évoluer ce paradoxe de mes débuts en une conviction profonde. L'oursin commun vit parmi les roches et les algues. Il se dissimule de son mieux en se décorant d'algues mortes ou de coquillages, de petits graviers, qu'il maintient par une multitude de tentacules filiformes. Il se cache sous les roches. Quand j'y pense, j'enlève les oursins avant de me mettre au travail ou même de retourner une roche. Leurs épines provoquent sur le dessus de mes doigts de petits abcès à peine sensibles qui me donnent de la distraction pendant des mois. Enlevées, avec difficulté, de ma pulpe tactile, les épines ne font pas naître un abcès mais laissent une douleur latente qui pendant quelques jours me rend craintif du contact d'un objet. Plus traître que l'oursin commun est l'oursin des sables. Ovale, dissymétrique, il atteint la taille du poing. Sa fourrure est faite d'épines si fines et si pointues que j'ai renoncé à soulever cet oursin dans l'air où il reprend son poids. Mes doigts tâtonnants le rencontrent souvent dans le sable des épaves antiques.

A la tourelle des Magnons il n'y a pas de sable.

Encouragé par quelques lingots, j'enlève les pierres qui bordent la roche, trouve un autre lingot de plomb puis, sous vingt centimètres de gravier, de petites barres de cuivre très minces, peu oxydées, longues de vingt à cinquante centimètres. Pas la moindre poterie pour aider à dater.

A ma demande, nous regagnons l'île de Bandol sans secousses. Je gratte une petite barre de cuivre, le métal paraît, jaune, brillant, c'est un alliage. Ces barres se tordent facilement et n'ont pas l'aspect du bronze, qui d'ailleurs n'était pas transporté sous forme de lingots. L'un des moniteurs a cru que c'était de l'or.

Avec une face plate et l'autre bombée, ces petites barres ont pris la forme des rigoles dans lesquelles elles ont été coulées. Les lingots de plomb, grossiers, de forme mal définie, semblent coulés dans une cavité creusée à même le sol. Les lettres des inscriptions ont ces contours anguleux que donnent les coups de ciseau. Je remarque des inscriptions courtes, en grandes lettres, ou signes, d'autres plus longues, en petites lettres, des triangles, des ronds, des potences. Une espèce de manivelle revient souvent. Certains caractères paraissent romains, d'autres grecs, quelques-uns ni l'un ni l'autre, mais l'épigraphie n'est pas ma partie. Pourtant je sens ces lingots plus importants que nos épaves d'amphores. Un objet portant des marques fait à tout archéologue le plaisir d'un jouet nouveau à un enfant. M. Benoit paraît fort intéressé par l'association des petits lingots jaunes avec les lingots de plomb, sans s'en étonner. Malheureusement il ne peut identifier les inscriptions, pourtant très lisibles. Il m'énumère tout ce qu'elles ne sont pas. Ce mystère me fait croire à un commerce antérieur à l'occupation romaine et me décide à tout récupérer. L'accumulation des inscriptions donnera peut-être une piste.

Je retourne à la tourelle des Magnons le 22 octobre, avec mes amis de Bendor. Comme la lumière triste de l'eau profonde où pèse une inquiétude, j'apprécie ces plongées au voisinage de la surface, dans la belle lumière du jour que l'eau n'a pas encore bleuie. Le bateau aux lingots a dû se briser sur la roche affleurante qu'aucune tourelle n'indiquait. De ma maison de Portissol je vois les grandes vagues des tempêtes d'équinoxe passer groupées par-dessus la tourelle. Basculés par le souffle des masses d'eau, les lingots ont dégringolé la pente, se sont coincés entre les roches, les tourbillons de graviers les ont enterrés. Je creuse une petite tranchée au bas de la pente, jusqu'à une anfractuosité de la roche devenue verticale, récolte quelques lingots de plomb et de métal jaune. Avons-nous épuisé ce site décevant? Dans ces petits fonds, tout vestige de bateau est emporté en débris, les poteries, car il y en a toujours quelques-unes sur un bateau, sont dispersées, et comment les reconnaître dans ce dédale jonché de tant de restes de naufrages antiques, sans même en savoir l'époque?

Par acquit de conscience, j'y retourne encore, fouille plus à fond, trouve moins de lingots.

Chez M. Benoit, mes dix-neuf lingots de plomb avec inscriptions paraissent bien rustiques à côté des beaux lingots romains trouvés sur d'autres épaves. Les inscriptions gardent leur secret. Le lingot pèse de sept à vingt-huit kilos, ce qui fait en tout environ deux cent cinquante kilos de plomb, cela paraît peu pour la cargaison d'un bateau. Si celui-ci était uniquement chargé de métaux, il a pu lâcher une partie des lingots au moment du choc sur la roche puis, emporté par la mer, aller couler ailleurs.

Je fais analyser le métal jaune par un camarade chimiste: cuivre soixante-dix-neuf pour cent, zinc vingt et un, pas de plomb, nickel ou étain. C'est à un pour cent près la composition donnée par le Grand Larousse pour le laiton antique obtenu en chauffant de la grenaille de cuivre et de l'oxyde de zinc, à une époque où le zinc métal était encore inconnu. Certains pensent que le mystérieux orichalque n'était autre que ce laiton.

Je parle des lingots quand je rencontre une personne tant soit peu susceptible d'aider à résoudre l'énigme de leur provenance. On feint de s'y intéresser... par politesse. S'agit-il d'une de ces langues préhelléniques des peuples de la mer, grands navigateurs qui envahirent l'Asie-Mineure à la fin de l'empire Hittite? Est-ce du mauvais grec de basse époque byzantine? Le bateau passait-il le long de nos côtes vers une autre destination, ou venait-il chez nous?

SHAB RUMI

Shab Rumi, récif du chrétien, curieuse analogie avec la roche de la Chrétienne où j'ai tant appris sur le bateau antique.

Juillet 1963. Accrochés au récif de corail par une chaleur à peine supportable, nous tournons *Le Monde sans soleil*.

Mer Rouge, vieille amie de la *Calypso*. Nous l'aimons pour la transparence de son eau bleue, son ciel pur, sa sérénité de mer étroite, ses côtes désertes où le sable blanc monte aux pentes chamois de montagnes mauves. Climat idéal en hiver, la tiédeur de l'eau fait du bien à la peau. Ses poissons : une fête de tous les jours. Nous l'aimons malgré ses requins entreprenants.

Le retard inhérent à une expédition de cette envergure nous a mis au cœur de la mer Rouge en été, à une quarantaine de kilomètres de Port-Soudan et une vingtaine de la côte, perdue dans une brume de chaleur. De l'atoll

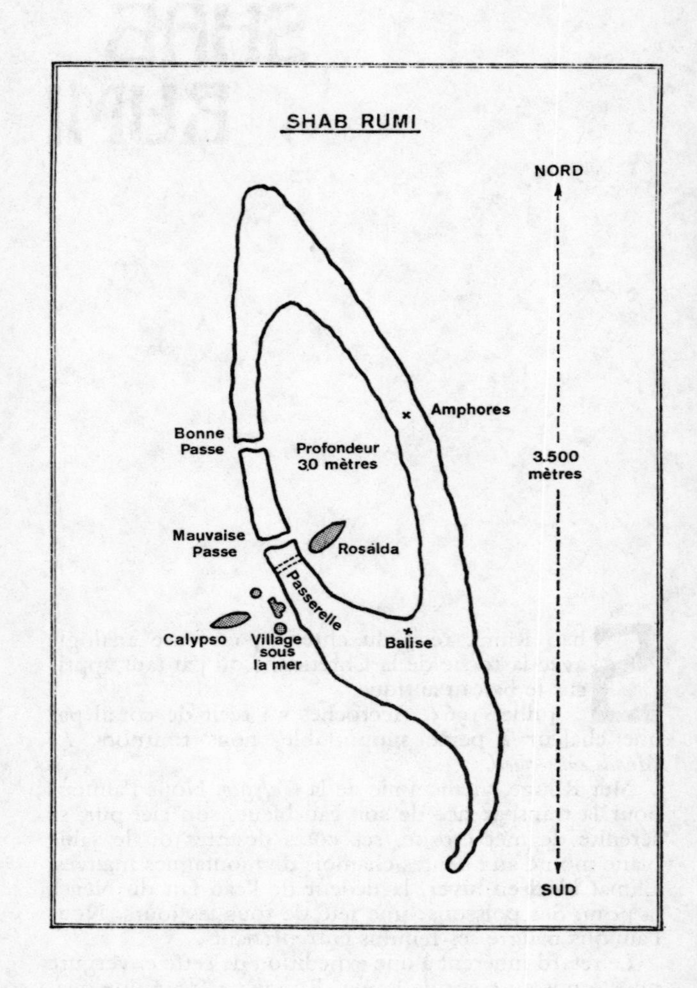
SHAB RUMI
NORD
Amphores
Bonne
Passe
Profondeur
30 mètres
3.500
mètres
Mauvaise
Passe
Rosalda
Passerelle
Calypso
Village
sous
la mer
Balise
SUD

La très grande connaissance des fonds sous-marins acquise par le pêcheur professionnel est pour les plongeurs une aide infiniment précieuse. Roger-Viollet.

allongé, seule une petite balise dépasse au loin sur la mer immobile. Les parois extérieures du récif descendent verticales pendant trois cents mètres. Le lagon a trente mètres de fond. La *Calypso* est accrochée à l'extérieur, et il faut descendre à soixante-dix mètres sous le bateau pour trouver une vague sensation de fraîcheur. Nous cuisons en plongée dans nos vêtements d'hiver imposés par le scénario. La nuit n'apporte aucun soulagement et nous filmons jour et nuit, à moitié conscients, abrutis de travail, de fatigue et de chaleur.

Rôtie de soleil, assaillie par la bourbouille, Simone Cousteau n'a jamais été aussi vaillante. Avec une bonne humeur sans défaillance, elle dépense une incroyable énergie pour aider les uns et les autres, nous rendre la vie plus agréable.

Le cargo italien *Rosaldo* a transporté les maisons du village sous la mer. Il est mouillé dans le lagon... entré par miracle à travers une passe étroite. Sur sa plage arrière, en face de nous, les marins italiens, à l'abri d'une tente, dans un léger courant d'air, sirotent un pastis glacé en jouant aux cartes. Parfois, pour se délasser de leur inaction, ils s'amusent à récolter des coraux, des coquillages, et fabriquent de petits ensembles cimentés d'un goût douteux mais qui les ravissent. Quand l'un de nous peut s'échapper un instant, il va leur dire bonjour pour jouir du spectacle réconfortant de leur farniente.

Hier, en ramassant les matériaux de leur passe-temps, ils ont trouvé des amphores !

Je trempe dans l'eau avec Bébert depuis deux heures du matin quand, vers six heures, après un café, nous allons avec les Italiens, à travers le lagon, voir leur trouvaille de l'autre côté du récif. Nous devons terminer la promenade en marchant sur les coraux tout en traînant le youyou du *Rosaldo*. A nos pieds, soudée sur un pilier de corail mort, telles ces roches qui coiffent les cheminées des fées, une amphore horizontale met fin à notre lente progression. Ils en ont détaché une autre hier. Je mets mon masque et, à plat ventre, je cherche autour, vois des tessons et une anse pris dans le corail mort, compact comme du ciment. Que dissimule le récif? J'ai beau savoir que les Romains naviguaient en mer Rouge, mon étonnement se complique d'une certaine émotion.

L'amphore frôle la surface, le bateau n'a pu arriver jusque-là, la mer l'a brisé sur le bord du large et a traîné ses débris sur la table de corail. La vie du récif a soudé les poteries échouées. La coque a pu aussi s'éventrer sur l'accore et laisser échapper quelques amphores vers les petits fonds, avant de descendre elle-même à des profondeurs où seule notre « soucoupe » pourrait aller la chercher. Si le bateau a coulé dans le lagon, il gît sous le sable blanc que le récif produit sans cesse. Peut-être n'y a-t-il pas eu naufrage et ces amphores ont-elles été jetées vides par un bateau qui passait quand la brise portait vers le récif.

Chercher l'épave? Je suis découragé d'avance par le sable car, plus qu'aucune côte méditerranéenne, le récif de corail fait comprendre l'importance de la formation du sable et son comportement dans la mer, si important en archéologie sous-marine.

L'érosion du corail mort, par la mer, produit du sable. D'énormes poissons en troupeaux bousculent les touffes de corail avec la bosse de leur front, puis les broient pour se nourrir et déversent des flots de sable par l'autre bout, comme des bennes. Les poissons perroquet en font autant. Cette production continuelle de sable exaspère certains animaux qui vivent dedans. Une espèce de petit homard blafard passe son temps à faire des va-et-vient dans son terrier, pour remonter le sable en le poussant devant lui entre ses pinces écartées, à la manière d'un bulldozer. Le frêle poisson qui partage son terrier suit le manège avec intérêt. De petits poissons sans couleur font aussi des allées et venues dans leur trou et crachent un jet de sable à chaque sortie. D'autres animaux, au contraire, vivent en harmonie avec le sable du récif. Les ménages de balistes, poissons de la taille d'une belle dorade avec de gros yeux qui roulent dans un visage comique, creusent le grand entonnoir de leur nid dans le sable des franges du récif. L'un des époux souffle de l'eau sur la gelée de la ponte, l'autre bondit en tous sens pour chasser les importuns amateurs d'œufs de baliste et éventuellement les plongeurs.

L'excès de sable du récif coule par moments en cascade dans les failles verticales des parois extérieures et forme des plages étroites sur les étagères profondes.

Pour aménager l'emplacement du village sous la mer, nous faisons des terrassements, par huit à dix mètres de fond, avec une benne-charrue improvisée par Bébert, manœuvrée au bout d'un câble par le treuil de la *Calypso*.

Le sable d'un blanc éclatant repoussé par l'instrument forme une pente vers l'angle où le récif pique dans les grands fonds. Dans cette eau délicieusement tiède, je m'amuse, pour le plaisir des yeux, à déranger l'équilibre du sable en traçant à la main un sillon au bas de la pente. De proche en proche au-dessus du sillon, toute la surface du talus se met en mouvement et coule un instant pour rétablir l'équilibre.

Au retour en France, M. Benoit a dit de notre amphore: « type de l'île de Cos, période romaine ».

Cette trouvaille ne présente pas un grand intérêt archéologique, mais la situation étrange de ces amphores scellées depuis deux mille ans sur cette table formée par la vie devrait intéresser les spécialistes de la croissance du corail.

SOUS LA FALAISE DE MÉDÉON

En août 1965, Cousteau me demande d'aller en Grèce surveiller pendant une semaine la pose d'un tuyau destiné à évacuer en mer les boues rouges d'une usine d'aluminium. La *Calypso* a fait une mission préalable, explorant le trajet par plongeurs jusqu'aux fonds de cinquante mètres et avec la soucoupe au-delà. Tout est prêt pour immerger.

Mes fillettes Juliette et Hélène passent l'été avec moi. Je suis triste de les quitter et un peu inquiet du retour car les expéditions de ce genre prennent souvent des retards imprévus.

Les boues rouges évoquent pour moi une séance d'un comité antiboues rouges tenue à Sanary, où des gens aussi gentils qu'incompétents s'étaient réunis pour le plaisir de protester contre l'installation à Cassis d'un déversoir sous-marin de ces boues. Alertés par l'histoire des déchets radioactifs jetés à la mer, les habitants des environs se montraient inquiets, soupçonneux. Leur disait-on la vérité?

La bauxite, terre rouge, minerai de l'aluminium, sort de l'usine de traitement en une boue inutilisable, encombrante mais inoffensive. Déversée en Provence, elle pourrait anéantir le paysage. La mer profonde l'absorbe sans inconvénient.

Entre Marseille et Cassis, la côte sauvage, qu'aucune route ne longe, il faut la voir d'un bateau. Le massif de roche blanche, pelée, descend brutalement sur la mer, poli par les vents, cogné par le soleil, façonnant des plis, des pics, des ébauches de forteresses. Des grottes tentantes ouvrent leur gueule hors d'atteinte au-dessus de la mer. Quelques touffes de pins ont échappé aux incendies successifs qui désolent la région, en des coins où la forme de la paroi empêche le mistral de pousser les flammes. La falaise s'enfonce verticale dans une eau très bleue, jusqu'à une quarantaine de mètres où commence un jardin de corail rouge, de gorgones et d'éponges, étagé au-dessus du sable.

L'égout de Marseille crache son flot rapide au pied de la falaise. Pendant des kilomètres la mer, grise, épaisse, huileuse et jonchée de débris immondes dégage une puanteur fade et écœurante. Un essaim de mouettes trépidantes tournoie devant l'arche de l'égout.

J'aimerais réunir les comités antiboues rouges sur un bateau et amener ces amoureux de la pureté de la mer faire un pique-nique devant l'égout.

Les boues rouges finissent par passer de mode, par contre la Côte d'Azur étouffe sous les embouteillages de l'été et l'on va faire une autoroute. Voilà un sang nouveau pour les comités locaux, ils seront antiautoroute. Pour la faire passer chez le voisin!

Je prends l'avion pour Athènes avec deux plongeurs de Cousteau. Péchiney fait bien les choses, nous avons une voiture à notre disposition pour serpenter sur les routes étroites, accrochées aux montagnes du golfe de Corinthe. Arrivés sous le mont Parnasse, nous descendons dans la lumière crue de l'air transparent, vers une mer d'un bleu de carte postale.

Au bord de la plage, le village construit pour le petit monde de l'usine attend la patine du temps. D'Aspra Spitia subsiste une maison de pêcheur échappée au bulldozer grâce à sa bonne mine et sa couleur spécialement locale.

Les ingénieurs de Péchiney nous accueillent comme des amis. L'usine construite pour l'aluminium de Grèce va fonctionner dès la pose du tuyau. Ce serpent de douze kilomètres, encore soutenu par des flotteurs, étire sa courbe dans le golfe et semble indiquer, comme sur une carte marine, le trajet conseillé.

Je n'avais pas bien saisi le but de notre voyage, une légère crainte de son inutilité me tracassait. Les conversations me rassurent, quant à ce sujet, car, par bribes, se dévoile une situation confuse. Ce magnifique tube d'acier a souffert, il souffre de plus en plus à mesure qu'on l'allonge, et sa pose sur le fond les jours prochains est incertaine.

Nous passons nos journées à la mer pour suivre en plongée cet interminable et monotone tuyau. D'intenses petites piqûres à la peau nous font sursauter. C'est la saison des méduses. Leurs brûlures durent une bonne demi-heure après la plongée. Quand la dose a été trop forte, je me sens fiévreux. Il fait à terre une chaleur à peine croyable pour l'Europe.

L'usine remplit une vallée descendant des montagnes et entasse ses bâtiments jusqu'au bord de l'eau, dans l'éclat gênant de tôles d'aluminium trop fraîches. Les oliviers et les ruines d'une chapelle byzantine ont été arrachés au bulldozer.

La route qui nous mène chaque jour d'Aspra Spitia à l'usine de Saint-Nicolas passe au pied d'un énorme rocher surplombant la mer. Chaque fois, je jette un œil d'envie sur les pans de murs aux énormes blocs taillés qui soutenaient sur ce rocher la ville grecque de Médéon. Au retour, lorsque l'heure n'est pas trop tardive, nous flânons parmi ces murs, seuls vestiges, avec des citernes creusées dans le rocher dont l'intérieur a la forme d'une jarre gigantesque. Face à la mer, sur la falaise verticale, un mur en partie écroulé gagnait un peu d'espace à la ville à l'étroit et rendait impossible l'escalade. À l'heure actuelle, il est encore tentant de jeter des pierres du haut du rocher et l'on imagine sans effort l'ennemi vainqueur précipitant dans le vide les statues des rois et des dieux pour jouir de la gerbe soulevée par leur choc sur l'eau. Sur les terrasses et les pentes il y a autant de tessons que de cailloux.

Juste au-delà de la route, le cimetière étale sur la pente de la montagne une grande variété de tombes: sarcophages en pierre, en terre cuite, trous bordés de tuiles, bordés de pierres, trous sans bordure.

Un matin, nous trouvons une ambiance anormale au port de l'usine. Les trois derniers kilomètres de tuyau ont coulé dans la nuit, début d'un désastre prévisible. Notre séjour tire à sa fin, une semaine aura suffi pour décrire l'état du tuyau et les avaries encore probables.

M. Lugagne, directeur de l'usine, nous a invités à déjeuner. Ce n'est pas le vandale industriel que laisserait croire la blessure de son usine dans l'admirable paysage de ce golfe, mais un homme fin et érudit. Il éprouve une grande tendresse pour la ville de Médéon. Ce jour-là, nous regagnons le port plus tôt, nous avons une bonne demi-heure devant nous. Je propose de nous accorder une petite plongée de détente, sous le front de mer de la ville antique, à une centaine de mètres du port. Mes camarades me disent que Bébert y a déjà plongé et n'a rien trouvé. L'eau n'est pas claire, la falaise continue presque verticale, avec de petits escaliers. Vers quinze mètres, la roche s'enfonce dans une pente de vase nue et blanchâtre, l'eau plus fraîche reste trouble. Les énormes blocs du rempart doivent se trouver dans cette vase. Je descends rapidement la pente unie jusqu'à la profondeur de vingt-sept mètres, triste, déserte. Au retour, comme un gosse, je surveille Canoé et Kiki, anxieux à l'idée de les voir trouver avant moi la statue de la déesse, patronne de la ville. Depuis plus de deux mille ans, sable et vase s'accumulent au pied de la falaise. Je sens cette pente monotone très épaisse, il faudrait creuser avec de grands moyens. Les trous de lapins faits par mes camarades les enveloppent de blanc sans entamer le sédiment, mieux vaut regagner la falaise qui ne peut dissimuler.

Je monte et descends en zigzag le long de la roche percée des trous minuscules de dattes de mer. Dans une faille verticale, je cueille un calice d'étain tel qu'on les voit dans les églises ou chez les antiquaires. Sur une étroite étagère couverte de sable vaseux un petit goulot attire mon attention. J'extrais un long vase de cuivre à la panse ronde, rappelant les bouteilles à long col dont le Moyen-Orient fait des narguilés. Je l'agite pour laver son ventre à peine froissé mais troué comme par un coup de lance. Il est temps de faire surface. Mes camarades remontent les mains vides.

Le vieux marin grec aux yeux brillants et son jeune mousse dissimulent mes trésors au fond de la vedette.

Je traverse le quai, tenant négligemment le calice et le vase, poursuivi par une armée de douaniers excités et piailleurs. Ils disent certainement de leur remettre ces objets, je me défends en prononçant avec autorité le nom respecté du directeur.

Au mess, je prétends ne pas avoir voulu arriver les mains vides, j'offre à M. Lugagne ces souvenirs du dernier culte de sa chère Médéon. Ils ont un petit air byzantin.

M. Lugagne promet de me donner des nouvelles et tient sa parole.

A Noël, les nouvelles sont mauvaises:

« Le gardien local du service archéologique ayant eu vent de vos trouvailles, j'ai dû les remettre au musée de Thèbes pour examen de leur valeur archéologique. Je n'ai plus de nouvelles mais j'espère les récupérer car j'y tiens, autant pour leur élégance que comme souvenir. »

Une lettre du 5 juin de l'année suivante m'apprend que M. Lugagne a pu les récupérer, après de multiples démarches:

« Ces objets ont une valeur certaine et c'est pourquoi j'ai eu tant de difficultés pour les reprendre; d'après nos spécialistes ils seraient du XIVe siècle et leur qualité fait penser qu'ils ont dû être offerts au monastère d'Hosios Loukas par un grand seigneur byzantin, peut-être même par l'empereur de Byzance. Comment ont-ils été immergés? Mystère. »

Comme gonflent les ballons au fond de l'eau pour soulever de lourdes charges, mon orgueil se dilate à l'idée qu'avec un petit coup de miror, j'aurais eu exactement le même geste généreux qu'un empereur de Byzance. Et plus j'y pense, plus la comparaison avec le Basileus me semble tourner à mon avantage, car ces mêmes objets offerts sont, en outre, des antiquités.

LA POMPE DE CALE

Robert Delattre est venu me voir à l'arsenal de Toulon en octobre 1964. Il dirige la section de plongée du Yacht Club de Hyères. Il me demande avec une certaine exubérance d'aller voir une découverte de son équipe, par vingt-sept mètres de fond, une épave avec, au milieu, un trou carré d'où sortent deux tuyaux de plomb. On ne voit que trois ou quatre amphores.

Cette écoutille sur un bateau romain me paraît trop belle, la mer nous réserve bien des surprises, mais tout de même il ne faut pas exagérer.

L'hiver arrive, la vedette du club est désarmée, j'ai des remords, j'aurais dû y aller tout de suite.

La belle saison revenue, je fais signe à mon ami Chevalier. Depuis que l'archéologie sous-marine gouvernementale a pris un embryon de forme, Chevalier la sert contre vents et marées avec dévouement et abnégation.

Le 12 juillet, des plongeurs nous attendent à l'entrée du village d'immeubles poussés récemment autour du nouveau port de Hyères, nous sommes très bien accueillis. La vedette des Sauveteurs bretons nous emmène rejoindre en mer Delattre et son école de plongée.

Nous descendons à travers une couche de surface tiède et trouble, puis pénétrons dans une eau froide et claire, au-dessus d'un paysage de brousse: touffes de posidonies éparpillées comme des buissons, sable grossier formé de coquilles et de débris calcifiés. Un rocher long et étroit fait saillie sur la plaine et, à son extrémité, voilà le trou carré, au ras du sol, bordé d'un concrétionnement plat, trou plein de sable d'où émergent deux culs d'amphores. Les deux gros tuyaux de plomb sortent du carré, se courbent harmonieusement et s'allongent jusqu'au bord de cette étrange épave. Le gros rocher, régulier près du trou, puis tourmenté par endroits, me paraît un bloc de concrétions formées sur une imposante masse de matériaux, où je reconnais des barres de fer à l'aspect typique de leur gangue de pierre. Tout autour, un socle de concrétions plus plates dessine au ras du sol naturel la forme ovale du pont d'un bateau. Toutes mes évolutions me ramènent à ce trou d'écoutille... fascinant. Chevalier, en agitant ses nageoires au-dessus du trou, chasse sable et poussière: un bloc de plomb rectangulaire paraît entre les tuyaux.

Les plongeurs du club, heureux de mon enthousiasme non dissimulé pour leur épave, ont eu le tact de la respecter, et je leur dis combien j'apprécie cette attitude rare.

Après le déjeuner au club dans un brouhaha de jeunesse, l'équipe de plongeurs nous montre des cruchons de faïence portant en couleur le monogramme du Christ. Céramique italienne à cheval sur le XVe et le XVIe siècle. Ils ont trouvé au même endroit des pichets d'étain, une boîte à poudre en bronze et un boulet de marbre. Ces derniers objets me sont familiers, je complète peu à peu leur assortiment sur l'épave d'un grand bateau de guerre, parmi les canons de tous calibres qui, dans les

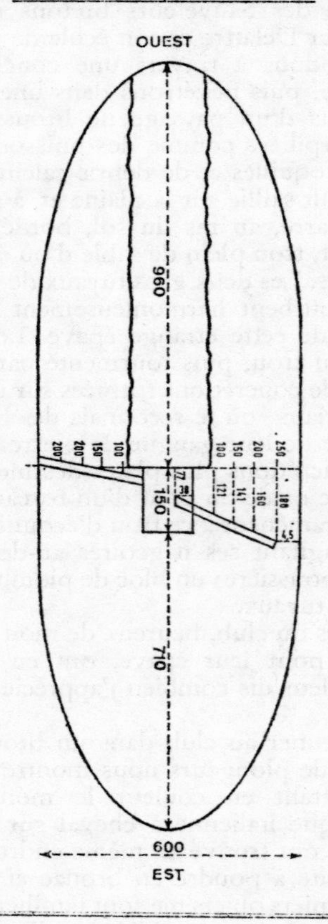
PLAN D' ENSEMBLE SCHEMATIQUE
Plan de situation des tuyaux sur l'épave
Les nombres sont exprimés en centimètres
OUEST
960
200
200
150
100
100
150
200
250
77
38
150
121
141
160
180
4,5
710
600
EST

marines du XVIe, se chargeaient encore par la culasse avec ces boulets de marbre et ces boîtes à poudre, sortes de petits canons coincés dans la culasse au moment du tir. Les flammes sortaient de partout, diminuant le rendement. La mobilité de la boîte à poudre provoquait une usure rapide. Ce procédé, déjà abandonné sur terre, le fut à la mer au XVIIe et il fallut attendre les temps très modernes pour voir les canons se charger à nouveau par la culasse.

L'épave de Hyères me laisse perplexe. Les tuyaux devraient aboutir à la pompe de cale. Les Italiens ont trouvé des pompes à deux corps, en bois, sur les épaves du lac Némi. Avant la destruction de l'épave du *Dramont* il y avait de gros tuyaux de plomb par-dessus les amphores. Par destination, ces tuyaux devaient cracher au-dessus de la ligne de flottaison. Il semble en être ainsi sur l'épave de Hyères, pourtant je ne peux pas croire que tout le bateau soit là, même en supposant que la croissance rapide des posidonies l'ait protégé. Quelque chose m'échappe.

Je demande aux plongeurs du club de surveiller l'épave, d'ailleurs aucun souvenir n'est accessible au pillage. Les rares poteries visibles étant engagées dans la pierre, il faudrait un acte de vandalisme pour détériorer ce site.

Je rencontre Cousteau à une réunion du Comité directeur de l'O.F.R.S. le 2 février 1966. Il s'enthousiasme lorsqu'au cours d'un moment de détente je lui conte l'histoire de Hyères. Il saisit tout de suite le caractère exceptionnel de l'épave et, pour me faire plaisir, m'offre son aide. Quand il dit oui, c'est gagné d'avance.

Je ne veux pas parler d'une fouille officielle avant d'avoir compris.

Jacques met l'*Espadon* à ma disposition. A Toulon, le 14 février, un mistral glacé blanchit la mer. A quai, au fond du port abrité par la rade fermée, l'*Espadon* se dandine. Depuis une dizaine de jours je souffre d'une mauvaise grippe, fièvre, quintes de toux. D'un commun accord nous décidons de remettre à demain. Le bateau passera avant l'aube, profitant du répit que le mistral accorde à la nuit.

Chevalier me prend à la maison avec la camionnette du ministère des Affaires culturelles dont la rubrique peinte sur la voiture donne à ses occupants un caractère sérieux que mes vêtements ne justifient pas toujours.

Nous arrivons au port de Hyères en même temps que l'*Espadon*. Dans l'air calme, les fumées montent droites, c'est à peine croyable. Nous sommes toujours touchés de voir le temps manifester de bonnes intentions.

Les plongeurs arrivent par la route sous la direction d'Albert Falco, avec un matériel important. Depuis le Grand Congloué, Bébert, notre meilleur plongeur, est devenu un technicien de valeur. Il a déjà fait plus de trois cents plongées aux commandes de la « soucoupe », petit sous-marin original et très au point, l'une des plus belles réalisations de Cousteau et son équipe, parmi tant d'autres. Voilà cinq ans, Bébert m'a fait dégringoler lentement dans la soucoupe, la falaise rocheuse, verticale, de Nice. A plat ventre sur un matelas, l'œil collé au hublot, dans une nuit lourde que perçaient péniblement les projecteurs, le corps impuissant dans ce monde qui finit par être le mien, j'éprouvais une angoisse.

L'équipe comprend Canoé, toujours aussi fort, Raymond Coll, peu bavard et c'est dommage car il voit clair dans l'eau, Bonnici et Omer. Ces trois derniers faisaient partie des six « océanautes » de Précontinent Trois il y a quelques mois. Ce déploiement de force me paraît exagéré pour ma petite expertise et me rend sentimental. A l'usage ils ne seront pas trop et leur grande expérience sera un soulagement pour moi, tant il est vrai que la moindre action est difficile sous l'eau.

Hier soir, je suis allé prévenir Delattre et Salvatori. L'année dernière j'avais repéré des alignements mais, comme nous n'étions pas mouillés à la verticale, mes « enseignures » ne sont pas exactes. Tout en bavardant je me suis fait dire les détails du paysage qui, mis l'un par l'autre, situent l'épave.

Je guide l'*Espadon* essayant de dissimuler une certaine inquiétude. Dans l'air nettoyé par le mistral les détails lointains se détachent et à un instant d'hésitation, où j'entrevois le ridicule d'avoir perdu l'épave, fait place la joie de reconnaître un alignement de mes amis.

Mouille ! Canoé et Chevalier plongent le long de la bouée. L'eau jaunâtre qui suit la tempête donne une mauvaise visibilité, une erreur de ma part d'une vingtaine de mètres peut leur faire manquer l'épave.

Leurs bulles montent sur place, à mon grand soulagement car, s'ils ne nagent pas, ils sont bien sur l'épave. La bouée est tombée à quelques mètres du trou, les manomètres de plongée indiquent vingt-sept à vingt-neuf mètres. Malgré l'aspect précis des appareils modernes, mesurer une profondeur avec exactitude représente encore un problème irritant. La vieille sonde à main, peu pratique et que la paresse nous fait négliger, reste le meilleur outil.

La chaleur inusitée de ce soleil d'hiver, l'immobilité de l'air, me tentent, tant pis pour ma grippe. Je sais qu'en descendant l'échelle, le froid de l'eau sur ma peau fiévreuse me donnera un sentiment de culpabilité craintive, je sais aussi que j'oublierai dès les premiers mètres.

Je plonge avec Bébert. Avec son extraordinaire compréhension du monde sous-marin, il n'a pas besoin de moi pour juger et, si j'ai plaisir à plonger avec lui, c'est pour en parler mieux au retour.

Très sombre pendant la descente, l'eau s'éclaircit au voisinage du sol, dans la pénombre de la lumière filtrée par la masse trouble. Je trouve l'épave plus nette qu'en juillet. Dans notre Midi aux arbres toujours verts, les saisons sont peut-être plus marquées par la végétation, sous la mer qu'à terre. Le trou est tapissé des rubans marron de posidonies mortes, rassemblés par le courant, comme les feuilles desséchées le sont par les tourbillons du vent. Deux langoustes se prélassent dans leur niche, je nous juge trop nombreux à bord pour en profiter. J'ai ma sonde en acier inoxydable de deux mètres de long et huit millimètres de diamètre, dont le poli inaltérable diminue au maximum les frottements dans le sol. Devenue pour moi un organe tactile, elle glisse sans effort dans la vase, je la sens crisser dans le sable, il faut insister. Ici, comme dans tous les champs de posidonies, le sable mêlé au réseau de fines racines reste meuble et, autour de l'épave, la sonde pénètre facilement. J'ai le contact avec des coquilles, de petites concrétions, sensation différente de l'impact sur la roche ou l'entrée dans un bois mou qui retient ensuite légèrement. J'appelle de temps en temps Bébert pour lui montrer la sonde plantée jusqu'à la poignée au ras des dernières concrétions, car l'épave a un contour précis auquel les tas d'amphores ne m'ont pas habitué. A une extrémité du bloc en relief, l'épave s'arrête net. Au-delà du trou, je bute sur un concrétionnement plat, légèrement enfoui, qui se termine brutalement. La masse de pierre dans le sol, de dix-huit mètres vingt sur six mètres quarante-cinq, donne un rapport de la longueur à la largeur voisin de trois, normal pour un bateau romain, compte tenu du fait que les élancements des extrémités ont dû disparaître.

Sur la partie plate, au-delà du trou, un demi-anneau en relief, boursouflé de concrétions, a gardé un air de ferraille. Delattre le dit en bronze, il l'a gratté. Près de là, un flanc d'amphore en creux est pris dans la pierre, nu, avec des cassures fraîches.

Je remarque dans le bloc en relief, outre quelques désordres locaux bien légitimes, des vides horizontaux qui m'étonnent. Ils ne paraissent pas dus à un mouvement de la cargaison mais plutôt à la disparition de pièces de bois après le concrétionnement du fer. L'eau n'est pas l'endroit idéal pour réfléchir.

Malheureux de froid, la tête vide, je fais signe à Bébert et m'élève. Vus de haut, les tuyaux de plomb ne semblent pas tout à fait en place.

Ce matin, en principe, nous sommes venus ici pour expérimenter un sondeur spécial fabriqué par Edgerton pour lire sur graphique les différentes couches du sol

FENZY

Plongeur, équipé d'un scaphandre autonome, remontant à l'air. Atlas-photo.

marin et les obstacles qu'elles peuvent cacher. Une tige rigide, improvisée, maintient immergé le long du bord le gâteau du sondeur qui émet les impulsions. Ce bras nous oblige à manœuvrer lentement. Un petit souffle d'air, un léger courant rendent notre route vers l'épave incertaine. Nous passons à deux reprises près de la bouée, puis nous apercevons qu'elle a changé de place. Elle dérive. Le filin de nylon, élastique et glissant, s'échappe parfois d'un nœud à la manière d'un serpent pour vous faire ces plaisanteries. Quelques passes sur le meilleur alignement restent sans résultat. L'échelle du graphique, conçue pour les couches géologiques, ne doit pas permettre de détecter notre épave.

La plongée n'a pas amélioré ma grippe, je passe une mauvaise nuit à tousser. Au matin, un fort vent d'est charrie des nuages bas, les vagues éclaboussent pardessus la jetée, nous restons au port. Une longue pratique m'a appris à moins m'irriter contre le mauvais temps. Je profite de ce répit pour aller voir, au G.E.R.S. que j'ai quitté, le docteur Barthélémi, qui me tirait d'affaire chaque fois. Il me trouve de la fièvre, la base des poumons prise, me menace du pire si je plonge et me bourre d'antibiotiques.

Le Midi m'étonnera toujours par ses changements de temps. Le lendemain, le vent est tombé, un reste de houle nous balance désagréablement, le ciel se dégage.

Le trou nous semble détenir la clef de l'énigme, nous avons tous envie de le vider. Bébert dirige la plongée. Bonnici amarre l'extrémité basse de la suceuse sur l'épave, puis fixe une grande sphère métallique à l'autre extrémité. Nous allégeons ce flotteur avec de l'air comprimé, la suceuse se dresse, indépendante des changements de position de l'*Espadon*, mouvements inévitables avec un mouillage provisoire. Le compresseur Junker alimente la suceuse, son pot d'échappement a été supprimé. Un vacarme d'armes automatiques à bout portant crépite sur la plage arrière, couvrant nos voix. Je me réfugie au carré où mes camarades me tiennent au courant en se rhabillant. Ils voient le bloc de plomb de travers dans le trou, il a dû y tomber avec les deux amphores, il paraît plus gros que nous ne l'avions jugé. Le prochain plongeur va sans doute voir la pompe.

Non, il dit que les tuyaux aboutissent au bloc de plomb ! Les plaisanteries fusent.

Coll monte des anneaux de plomb massifs, ouverts. Le plomb vieillit peu dans l'eau, celui-ci pourrait être d'époque, pourtant j'ai vu les mêmes anneaux sur les chaluts, cette pêche se pratique beaucoup ici.

Quelques pannes du Junker soulagent nos oreilles. Ce calme délicieux me fait sortir de ma tanière pour bavarder avec les plongeurs. Ils me disent la difficulté de manier la suceuse dans ce petit espace encombré par l'énorme bloc de plomb, les tuyaux, les amphores incomplètes soudées aux parois. Avec une autre équipe, je serais inquiet.

Bébert va arracher du trou une amphore sans col et le fond détaché d'une autre. A bord, la lance à eau plantée dans l'amphore lui fait cracher du sable vaseux et des coquilles noircies par le voisinage du fer. J'ai déjà remarqué ces escargots de mer cassés, un poulpe ne peut faire ce travail, un homard a dû habiter là. Bébert a vu des restes de bois sur la paroi du puits, vestiges d'un coffrage autour duquel la cargaison était rangée.

Je demande à Omer de faire un plan de situation du bloc de plomb et des tuyaux, l'idée lui plaît. Je lui conseille de dessiner ce qu'il voit, puis de mesurer pour mettre les cotes.

Il remonte avec un croquis illisible mais toute une page d'écriture sur la planchette. Le dépouillement lui donne de telles difficultés qu'il comprend de lui-même et me demande de redescendre l'après-midi. Il me remet alors un plan parfait. Le bloc de plomb, carré, a soixante centimètres de côté, trente-deux de hauteur. Le tuyau sud-est serti dans la face latérale, près de l'arête du bloc, le tuyau nord s'est détaché de la face opposée. En tripotant le bloc pour le mesurer, Omer a été tout étonné de passer la main dans la partie reposant sur le fond du trou. Il ne s'agit pas d'un bloc mais d'un bac à l'envers. Les parois ont environ huit millimètres d'épaisseur. On ne voit pas de pompe mais nous n'avons pas atteint le fond du trou.

Le mystère s'éclaircit pour moi. Une récente lettre de Peter Throckmorton m'a fait parvenir le croquis d'un bac de plomb en forme de V, relié à deux tuyaux. Les Espagnols ont trouvé cet ensemble d'environ cinq mètres d'envergure, dispersé sur l'épave antique de Palamos, aux îles Formigas. Notre bac servait de déversoir à la pompe de cale. Il se trouvait sur le pont, au-dessus du puits. Les extrémités des tuyaux, légèrement évasées, devaient être serties à la base du pavois. Lorsque le bateau s'est désagrégé, l'ensemble bac-tuyaux a basculé en dégringolant dans le puits où le bac est arrivé à l'envers. Le tuyau nord a glissé et s'est plus écarté de sa position d'origine que le tuyau sud. Non sans une légère déception, illogique, je suis maintenant convaincu que le dessus de l'épave ne correspond pas au niveau du pont, cette cargaison de métaux, très dense, ne pouvait occuper que le fond de la cale. Bac et tuyaux ont dû tomber de haut.

Quelques bouffées de mistral courent sur l'eau sans nous inquiéter, l'île de Porquerolles toute proche nous abrite. Après de vaines tentatives pour détacher un col d'amphore soudé au fond du trou, précieux pour dater, nous appareillons.

Réunis au carré nous discutons... préoccupés. Les petits mystères de certains plombs du Grand Congloué et tant d'autres énigmes nous ont habitués à accepter l'inexpliqué en le qualifiant d'antique. Pourtant, devant ce mécanisme simple et net, nous sentons l'explication accessible. Ma théorie d'un déversoir de pompe de cale ne nous satisfait qu'à moitié, un simple tuyau allant de la pompe à l'extérieur suffirait. Ce bassin servait-il pour se laver? Faire la vaisselle? Ces gestes n'ont jamais embarrassé un marin. Bébert prononce le mot noria. Voilà! Seule une noria pouvait nécessiter ce puits assez vaste, libre dans la cargaison, ce déversoir confortable pour recueillir un jet large, oscillant avec les mouvements du bateau, ces gros tuyaux pouvant évacuer sur bâbord ou

PLAN DE SITUATION DU BAC ET DES TUYAUX DANS LE PUITS

N=niveau des coins supérieurs du bac par rapport au plan de surface du puits

Dimensions du bac: 60 x 60 x 32

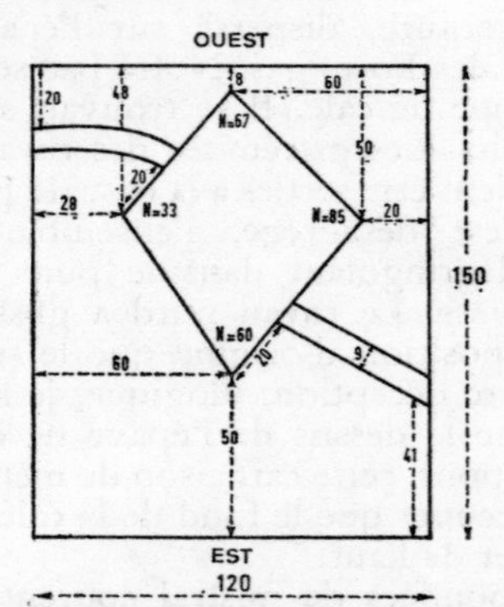

COUPE HYPOTHETIQUE DU BATEAU A L'EMPLACEMENT DE LA POMPE DE CALE

En supposant :

— la largeur du bateau sur le pont donnée par les deux tuyaux de 3m et le bac de 0m60 égale à 6m60

— la profondeur de l'actuel puits de descente égale à 1m50

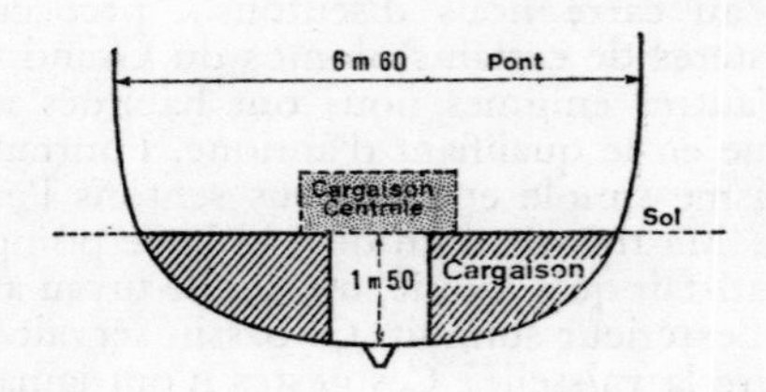

tribord suivant l'inclinaison du bateau sous voile. La noria, mécanisation directe du geste de puiser, a dû être la première pompe. Dans son beau livre sur la fouille du lac Némi, Ucceli parle des vestiges d'une noria trouvés sur chacun des deux bateaux. Il appelle cet engin « sentinaculum », c'est-à-dire pompe de cale. On nomme « sentine » la partie la plus basse d'un bateau.

Lorsqu'une épave d'amphores se désagrège, la cargaison s'écarte en s'éboulant, le bac et les tuyaux écartelés, déchirés, se mêlent aux amphores qui comblent le puits central où puisait la noria. Nous avions souvent trouvé ces tuyaux en fragments et, quand nous avions traversé la zone du puits central, nous avions dit simplement: « Quel désordre ! », confondant cet enchevêtrement avec tant d'autres, dans l'eau trouble d'un chantier de récupération.

Seule une fouille méthodique au cours de laquelle la position de chaque amphore serait notée, permettrait d'analyser les mouvements des amphores pendant le tassement de la cargaison. De cette analyse on pourrait déduire quelques notions sur la structure du bateau, ainsi que la position du puits de la noria. En l'état actuel des choses: pillage effréné des épaves, fouilles officielles sporadiques et à caractère de récupération sur des sites profondément modifiés par les pilleurs, il est impossible de se faire une opinion sur la fréquence de ce système de pompe de cale.

Ici, fait original, la prise en bloc de la cargaison a eu lieu avant l'effondrement de la coque. On peut penser aussi que cette cargaison dense, parfaitement arrimée à fond de cale, n'a pas bougé lors de l'effondrement du bois et s'est soudée par la suite.

La coque n'a pas bénéficié de l'abri d'une cargaison étalée, ses parois ont dû disparaître avant que la montée naturelle du sol les protège, mais son fond devrait subsister.

J'aimerais voir la jonction du puits avec la coque pour pouvoir reconnaître cette structure sur des épaves mal conservées.

Jusqu'à présent, les objets antiques en fer provenant du fond de la mer ont été trouvés isolés ou parmi des matériaux différents. Que s'est-il passé au sein d'une masse de fer de deux ou trois cents tonnes? Sous quelle forme est le métal? Je n'ose pas entamer l'épave pour le voir.

J'estime la longueur totale du bateau au minimum à vingt-deux mètres, car ses extrémités dépassaient la cargaison d'au moins deux mètres.

Le lendemain, par très beau temps, Delattre et Salvatori appareillent avec nous. Je tiens à les faire participer à cette étude de leur site.

La qualité du travail de nos plongeurs, leur compréhension de mes problèmes simplifient tellement ma tâche que j'entrevois la possibilité de ne pas plonger moi-même... s'il le fallait. Pourtant je n'aime pas cette idée, j'ai trop besoin du contact pour sentir la formation d'une épave et ses prolongements dans le sol. Le décor aide à situer les problèmes, l'aspect des concrétions ne peut pas se décrire, il faut en avoir cassé beaucoup soi-même pour comprendre leur langage.

Ma grippe ne va pas plus mal, les antibiotiques agissent, je vais parcourir le site en pensant à mes déductions. J'ai pu m'écarter de la réalité.

L'eau trouble fait rapidement baisser le jour, j'arrive au sol dans une aube jaunâtre de grande ville, mais les yeux s'habituent et distinguent les moindres détails. Le trou, propre et net, me ravit après tant de chaos d'amphores, sa profondeur atteint maintenant quatre-vingts centimètres. Du beau travail! Les parois, verticales, sont ornées de nodules de la taille d'un poing, disposés assez régulièrement. Ils ont dû se former sur les extrémités de barres de fer. Il serait difficile de creuser plus bas le sable noir durci. J'ai déjà fait beaucoup de photographies du site, je vais les compléter avec celles du puits vidé.

J'utilise constamment le film tri X, dont la grande sensibilité est précieuse sous l'eau. L'emploi d'un même film facilite le choix des réglages. Je travaille en général au cent vingt-cinquième de seconde et, malgré cela, le grand levier de déclenchement du « Calypsophot » provoque parfois des photographies « bougées ». Dans l'eau claire du fond, la lumière me semble suffisante, à cette profondeur relativement faible. Tout de même, je règle au soixantième et à l'ouverture maximum : trois cinq. Mes photographies seront nettement sous-exposées, au point d'être à peine utilisables.

Je cherche des poteries pour dater, j'en vois quelques-unes, prises dans la pierre : poteries de bord, peu typiques. Les archéologues connaissent parfaitement la céramique de luxe, mais la vaisselle usuelle n'a pas été étudiée. Ces poteries sont localisées au début du bloc en relief, côté trou, la cuisine devait se trouver au-dessus. Un bord d'assiette saille près de la niche où s'abrite une langouste, je cogne autour avec la martelette tranchante, un jus noir s'échappe, indiquant du fer pourri. La dureté de la concrétion me décourage, la langouste ne bouge pas. Partout où je cogne, jaillit le même petit nuage noir.

Grattés par mes camarades, deux lingots de plomb trop visibles risquent d'attirer l'attention des pilleurs mais je n'ai pas le temps de les dégager pour voir s'ils portent des marques. Des gangues de fer cassées récemment montrent un vide intérieur à section carrée.

J'enfonce la sonde de biais sous le bord de l'épave, je touche une paroi dure pendant quelques dizaines de centimètres, puis la sonde pénètre sous la cargaison qui a bien une forme de fond de coque. Je ne parviens plus à concentrer ma pensée, l'épave m'intéresse moins, le froid m'envahit insidieusement. Il est temps de remonter.

Nous avons déplacé la suceuse pour creuser le sol contre le flanc de l'épave. Dans le vacarme fracassant du Junker, six plongées lui sont consacrées par mes camarades, déçus. L'engin n'a aucun rendement dans le mélange de sable et de racines, la buse a pénétré mais fait un trou étroit, inexploitable. Ma sonde avait dit vrai, l'herbier existait déjà quand le bateau s'est décroché de la surface.

L'épave de l'âge du bronze, en Turquie, a démontré

l'impossibilité de disséquer en plongée une épave concrétionnée comme celle-ci. Ce cas relève de la compétence d'une entreprise de grands travaux sous-marins. Il faudrait dégager le pourtour de l'épave avec une benne puissante et la renflouer en bloc, ou en blocs, pour la livrer aux spécialistes.

Delattre et Salvatori s'équipent, je leur parle des langoustes, de ne pas rentrer à la maison les mains vides. Ils reviennent ravis, avec les langoustes, et me disent: « Vous aviez raison, c'est bien l'épave d'un bateau. » Ils la trouvent mieux dégagée, nous n'y sommes pour rien, l'hiver est la morte saison des algues.

Préoccupé par la datation, je demande de détacher le col d'amphore au fond du trou, avant de dégréer la suceuse. Les plongeurs rapportent de petits tessons informes. Delattre a des regrets en voyant nos travaux se terminer, il me demande d'autoriser Salvatori à détacher l'anneau de bronze. Celui-ci casse entre les mains de Salvatori dont la puissante musculature eut été mise à l'épreuve pour extraire un anneau en bronze d'une telle taille, aussi fortement engagé dans la pierre.

Le jour suivant, samedi, le vent d'est a repris, rageur. L'*Espadon* a un programme à suivre, un dimanche à terre tente les hommes. Le bateau regagne Marseille.

Je vais au musée Borély le lundi. Bouis a trouvé uniquement du sulfure dans le contenu noir des concrétions et s'en étonne.

Cette cargaison insolite me préoccupe, on n'a jamais vu une telle quantité de fer d'époque romaine. Brusquement je pense à la guerre. Toutes ces barres carrées n'étaient-elles pas destinées à être forgées en traits de baliste, lances, javelots, par les soldats romains, cultivateurs comme forgerons? Je me laisse même aller à attribuer les vides curieux du bloc central à la disparition d'éléments en bois de machines de guerre démontées pour le transport.

Je trouve M. Benoit plongé dans les papiers d'un nouveau livre. Les passants attardés voient sa fenêtre encore éclairée se détacher de la masse sombre du grand bâtiment. La panse d'amphore lui paraît dater du Ier siècle avant Jésus-Christ. C'est l'époque de la guerre des Gaules. Je lui dis ma tentation d'invoquer les besoins de l'armée de César pour justifier un transport de fer de cette importance.

Comme le temps passe, je comprends que j'ai été trop intéressé par la pompe de cale, au détriment de la cargaison. Un doute désagréable me fait me demander si la masse compacte dans le sol est bien composée de barres de fer. Mon instinct a pu me tromper.

Cousteau me prête à nouveau l'*Espadon* le 11 juin. Une brume de beau temps cache la côte lointaine, fort heureusement j'ai pris aussi des repères sur l'île de Porquerolles que l'on discerne à travers l'air laiteux.

Sur le fond, une lumière plus puissante donne du relief aux détails, la salade des algues n'a pas encore envahi l'épave, l'énorme volant thermique de la mer retarde ses saisons. Des posidonies mortes se sont accumulées dans le trou, l'épave n'a pas été touchée. Je remarque des tessons de tuiles vers l'extrémité du bloc en relief opposée au trou, traces de l'abri couvert situé à l'arrière par l'iconographie. Je veux détacher un gros échantillon du flanc de l'épave, des barres de fer tombées du bloc en relief et l'un des lingots. Je prépare le travail avec un ciseau et un marteau. J'ai apporté une barre à mine, instrument brutal, dernier recours dans mon esprit. Coll, peu soucieux des finesses de l'archéologie, trouve ce levier très efficace. Les échantillons ne tardent pas à monter. Sous la croûte de la cargaison principale, très dure mais peu épaisse, subsiste une matière noire, spongieuse, qui fut du fer. Des empreintes très nettes de barres me font plaisir. La pensée de trouver du minerai était par trop vexante. Ces barres avaient cinquante-cinq millimètres de côté, celles du bloc en relief en avaient trente. Le lingot, en forme d'ellipse aplatie, a cinquante-cinq centimètres par vingt-deux, des concrétions et du fer pourri cachent peut-être des marques. Coll a monté un enchevêtrement de barres tombées du bloc en relief, dans lequel est pris un tesson d'amphore. On distingue aussi un morceau de bois vaguement cylindrique et une chape de plomb d'environ dix centimètres de diamètre.

Je redescends après le déjeuner pour photographier et jeter un dernier coup d'œil. Du fond d'un trou situé vers l'extrémité du bloc en relief où sont les tessons de tuiles, je retire les débris d'un pot de terre cuite. Le fond de ce trou est rond et mou, ma main s'enfonce, j'enlève du sable, des coquilles. Je pense au vide laissé par un mât traversant la cargaison. Mon bras est trop court mais la barre à mine trouve du sable dur à environ quatre-vingts centimètres, comme dans le puits de la noria. Ce trou paraît trop près de l'extrémité du bateau pour avoir contenu le pied du grand mât. Il y avait un petit mât à l'avant, ancêtre de notre beaupré, mais les tuiles semblent indiquer que je suis à l'arrière.

Mes camarades ont installé un va-et-vient avec un filin, ils rebouchent le trou de la noria avec des sacs de sable prélevés hier sur la plage. J'espère protéger ainsi le bac de la ruée de l'été. Des ombres s'agitent dans un nuage jaunâtre comme ceux des vents de sable du désert.

Tenté par la barre à mine posée près du second lingot, je le décolle, l'amarre et le fais monter. Plus propre que son frère jumeau, il porte des lettres sur sa face plane. L'une des tranches forme un plat qui paraît voulu. Nous nous demandons si ces plombs servaient de contrepoids à une machine de guerre, mais ils ne portent aucune trace de fixation.

Je vais au musée le surlendemain. Bouis n'est pas dans son petit laboratoire mansardé. Nous nous y installons. Chevalier inonde d'acide chlorhydrique un lingot dans l'évier, pendant que je fais sauter la gangue de la chape de plomb où adhèrent encore les restes d'une barre de fer pourri. Un morceau de ceinture de cuivre paraît. Etrange ! En nettoyant, je distingue les stries imprimées par les rayures d'un canon sur la ceinture de ce culot d'obus de marine, en fonte parfaitement conservée. La zone sert de champ de tir depuis fort longtemps, le fond de la mer est jonché d'obus, il y en a même un gros, bien en évidence sur l'épave.

Une mousse de grosses bulles grouillantes emplit l'évier où Chevalier brosse et rince maintenant la face plate du lingot, deux lettres paraissent. Vues dans ce sens, elles ont un bon air de caractères romains. Tout de même, nous retournons le lingot, on lit alors MN: Marine nationale? Un peu plus loin d'autres lettres se dégagent de la mousse sale, CVM: Cercle de voile militaire? Nous nous regardons affolés, nos esprits vacillent. Nous pensons à deux moitiés du bulbe d'un petit voilier, l'épave elle-même nous paraît douteuse, et je dois me raccrocher à de solides arguments pour me rassurer sur son authenticité. Sous le choc du marteau, le métal sonne clair, ce n'est pas du plomb, pourtant il est très lourd et sa surface brille, avec des plaques chatoyantes de feuilles de fougères, comme sur du fer fraîchement étamé. L'autre lingot porte les mêmes lettres, ils pèsent vingt-huit et trente-deux kilos.

Nous les avons trouvés l'un contre l'autre, engagés sous une barre romaine dont le fer s'était incrusté aux lingots et ce fer est pratiquement stabilisé depuis de nombreux siècles.

Nous consultons un ouvrage sur les inscriptions latines où nous trouvons MN: metalla nova. Ce terme me plaît pour désigner cet étrange métal.

J'en confie un petit bout à mon camarade chimiste. C'est de l'étain pur. Mélangé au cuivre pour obtenir le bronze, l'étain, employé sous forme d'oxyde depuis la haute antiquité, était bien connu sous forme de métal à l'époque romaine, à tel point que je me demande si MN signifie metalla nova.

AUX ILES MALDIVES

En mars 1967, nous explorons les îles Maldives avec la *Calypso*. Les coraux étoffés et par endroits exubérants foisonnent aux franges des récifs. Les poissons tropicaux, en grande variété, se tiennent de préférence dans les chenaux balayés par les courants de marée. Quelques espèces sont nouvelles pour nous.

L'archipel débute à cinq cent soixante kilomètres de l'Inde et s'étend nord-sud, comme un large ruban de près de mille kilomètres de long, jusqu'à l'équateur. Mille huit cents petites îles, groupées en vastes atolls ceints d'une barrière de corail à pic sur la mer profonde, projettent leur touffe de cocotiers mêlés de végétation exotique au-dessus du sable blanc étalé sur l'océan. Les plus grandes de ces îles, ou plutôt les moins petites, sont habitées par des indigènes venus de Ceylan au début de notre ère. Leur nombre s'élève à une centaine de mille.

De peau noire ou très brune, gens aimables, timides, désintéressés, que l'océan a tenus éloignés des atteintes du tourisme et des influences étrangères, ils vivent, pauvrement, de la pêche et de la culture du cocotier, donnent souvent des fêtes d'île en île, fêtes animées par les tambours aux membranes de peau de raie.

Ce vaste pays ne connaît d'autres pierres que les blocs de corail extraits des eaux peu profondes, pour les murs, les maisons, les jetées, les stèles funéraires sculptées et les ancres.

Les bateaux sous voiles, longs et minces, bas sur l'eau, sont montés par une dizaine d'hommes. Ils évoquent ceux des Vikings ou de la Méditerranée préhellénique, et l'illusion serait complète si leur voile — triangulaire— était carrée.

Les hautes proues recourbées, terminées par un élargissement semblable au cimier d'un casque, si belles à la mer, ne doivent pas être pratiques dans l'encombrement du petit port de Malé, la capitale, car, amovibles, elles figurent pendues avec d'autres ustensiles.

La *Calypso* est mouillée devant l'île Alifuri. Des abris de palmes bordent la plage, sous les premiers cocotiers, où travaillent des charpentiers sur des bateaux à divers stades de construction.

Une coque lisse et nue à l'intérieur me donne le sentiment d'un effort mental à faire.

Les galbords sont fixés par de longues chevilles en bois qui dépassent encore sous la quille. Les planches de cette coque nue sont reliées entre elles par des chevilles plantées dans leur tranche. J'y suis ! Voilà sous mes yeux le mode de construction des bateaux antiques. Ici ils utilisent des chevilles cylindriques et non les languettes plates des Anciens qui nécessitaient un travail considérable.

J'essaye de faire partager mon émotion à mes camarades, mais je dois m'avouer que l'intensité de ce moment tient pour moi à une longue préparation.

A notre époque, la construction de tout bateau commence par le squelette: quille, étrave, étambot,

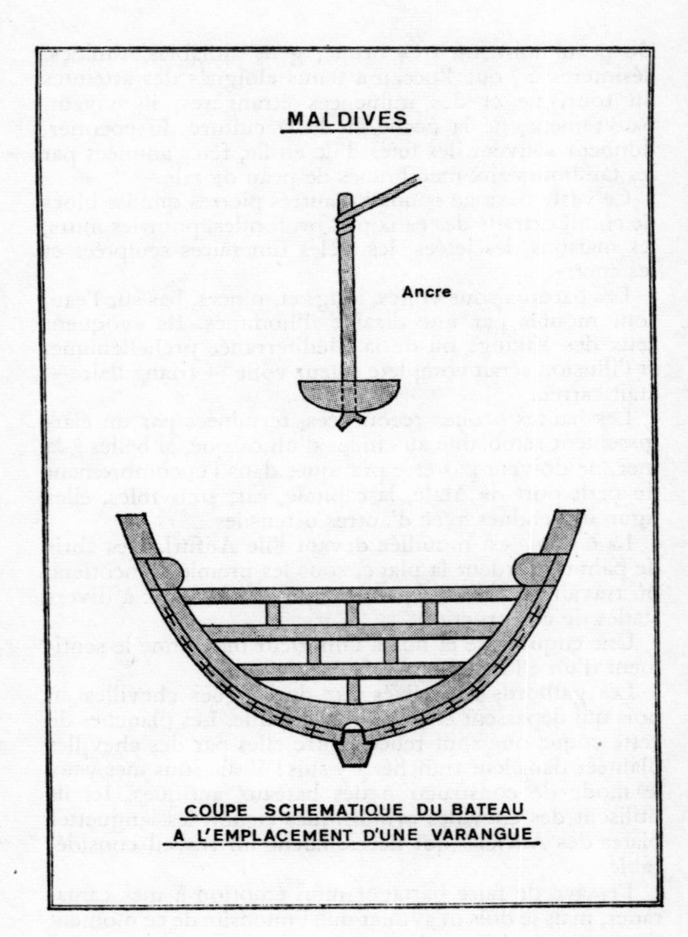

COUPE SCHEMATIQUE DU BATEAU
A L'EMPLACEMENT D'UNE VARANGUE

membrures, l'on fixe les planches de la coque sur la carcasse terminée. Nous sommes tellement habitués à cette façon de procéder qu'elle nous paraît découler des lois de la nature. Cependant, un trait encore visible marquait l'emplacement d'une membrure, à la Chrétienne, et m'avait semblé indiquer que la coque antique était montée avant de recevoir les membrures, méthode appelée « shell first » par les Anglais.

Je profite de chaque occasion pour débarquer sur l'île.

Quille, étrave, étambot sont faits en palétuvier, bois le plus dur de ces îles. Les planches de la coque sont taillées dans le tronc du cocotier. Pour fignoler les joints, l'on frotte de charbon de bois la tranche de la planche posée et l'on applique la suivante pour déceler les points de contact, que l'on taille jusqu'au portage parfait.

Le calfatage est fait de minces lames découpées dans l'enveloppe fibreuse de la noix de coco, que l'on voit rarement en Europe. On met le calfatage en place avant de serrer le joint, mais celui-ci est si bien fait, disent-ils, que le bateau serait étanche sans calfatage.

Sur les chevilles qui dépassent de la planche posée, l'on enfonce à coups de maillet la planche suivante, percée au préalable. Les trous des chevilles sont faits avec un drille, violon manœuvré par une corde tirée alternativement par deux hommes, alors que le même drille du golfe Persique est mû par un seul homme au moyen d'un archet. Les bois sont taillés avec l'herminette et la hache.

Quand la coque nue est terminée, on place, entre des bossages ménagés sur l'intérieur du bordé, des couples rendus rigides par trois ou quatre barreaux horizontaux, entretoisés verticalement en quinconce. Ces « varangues ajourées » montent à la hauteur où nous mettrions un pont, l'équipage marche dessus. Les membrures, grêles, sont placées ensuite entre ces varangues. Elles sont taillées en forme, ajustées et fixées avec des chevilles. Sur les bateaux romains, on plantait en plus un clou de cuivre dans chaque cheville.

Chaque couple comporte un épaississement à sa base,

avec une entaille semi-circulaire au-dessus de la quille pour laisser écouler l'eau, entaille triangulaire chez les Romains.

Le mât, rabattable vers l'arrière, en cocotier, se loge dans une emplanture ménagée dans une varangue plus forte que les autres. La pièce d'emplanture est donc transversale au bateau, mais celui-ci étant relativement petit, le mât ne fait pas d'efforts considérables.

Une forte ceinture: plat-bord massif en bois dur au-dessus d'une grosse serre en cocotier arrondie à l'intérieur du bateau, renforce la cohésion de la coque. Cette ceinture me rappelle la seule pièce massive vue en Turquie sur l'épave de l'âge du bronze, pièce qui, par sa situation sur le site, devait se trouver dans la partie haute de la coque. Les bateaux romains semblent renforcés par une ceinture, sur certaines représentations.

Le bateau des Maldives est construit fixé sur des rondins enterrés verticaux. Six hommes y travaillent toute la journée pendant un mois. Aucun gabarit ou instrument de mesure n'est utilisé, l'œil seul du charpentier guide la symétrie et la parfaite élégance du mouvement de la coque. Le bois est enduit d'huile de requin ou de tortue.

L'ancre, en corail comme les ancres primitives étaient en pierre, est faite d'une tête choisie dans une espèce massive en forme de calotte et emmanchée sur une branche ayant un épaississement ou une petite fourche à une extrémité.

On m'a affirmé que ces bateaux diffèrent beaucoup des barques indiennes de Ceylan, et que la coque de ceux des Laquedives, situées entre ici et l'Inde, est cousue comme celle de certains bateaux primitifs.

Golfe Persique et océan Indien, bordés par des civilisations ancestrales, ont peut-être connu les premiers bateaux capables de naviguer correctement. Malheureusement, les bateaux antiques de cette région ne nous ont pas encore livré d'épaves, aussi ne pouvons-nous comparer leurs descendants qu'aux ancêtres méditerranéens.

LES BATEAUX ANTIQUES

Il paraît illogique, à notre époque où l'Antiquité classique est si bien connue, que les bateaux, instruments de son opulence, le soient si mal.

Jusqu'à l'essor récent de la plongée, l'étude des bateaux relevait uniquement de l'interprétation des textes et de l'iconographie.

La galère de combat, ou bateau long, a souvent inspiré écrivains et artistes par la noblesse de sa destinée et l'élégance de ses lignes. Notre meilleur document reste néanmoins le lot d'archives de l'arsenal d'Athènes, gravées sur des plaques de marbre datant du IVe siècle avant Jésus-Christ, trouvées dans un égout romain ou byzantin du Pirée. Le bateau de commerce, ou bateau rond, modeste besogneux, est resté dans l'ombre, et nous avons peu de renseignements sur ce facteur primordial de l'établissement et le développement des relations économiques et culturelles.

Bien des écrits de l'Antiquité nous sont parvenus à travers des scoliastes et des lexicographes qui ignoraient l'art naval. De nombreuses erreurs ou improvisations se sont glissées dans les textes.

L'élégance du bateau, sa valeur décorative, ont toujours tenté les artistes. Il figure sur les monnaies, les médailles, les sceaux, les vases, les fresques, les mosaïques, les bas-reliefs et les colonnes.

L'homme préhistorique, déjà hanté par des préoccupations morales à caractère religieux, traversa une période de plénitude qui nous a laissé des représentations mystiques des êtres vivants d'un réalisme étonnant. Sa peinture a ensuite évolué vers une sorte d'écriture symbolique où hommes et animaux ne sont plus que des signes conventionnels. L'Egypte avec une certaine statuaire, la Grèce et d'autres nations ont exprimé l'être vivant avec réalisme, tout en exaltant sa beauté. Par contre, la représentation des objets a longtemps eu un caractère décoratif, empreint de symbolisme ou de recherche de la ligne, au détriment de la véracité. Enfin, la mise en page d'un bateau sur une monnaie ou un vase implique des sacrifices de proportions et de détails.

Une vision conventionnelle du bateau s'est établie et perpétuée des uns aux autres, en subissant les modifications du goût du jour, et il est souvent difficile de faire la part de l'évolution du style et de celle du bateau.

La mer est un domaine à part et les marins ont quelques raisons de penser que les terriens comprennent mal le bateau. Les archéologues l'ont abordé sous le même angle que leurs édifices enterrés, sans être guidés par le sens marin. Les gens de mer passionnés par le bateau antique n'ont pas eu la culture spécialisée des archéologues pour peser la valeur des sources, ou interpréter leurs aspects par les mobiles profonds de la création artistique. Ils sont souvent tombés dans le piège d'une théorie, qui les a amenés à dénicher sans discrimination les arguments susceptibles d'étayer leur conception personnelle. D'autres se sont contentés de répéter leurs prédécesseurs ou de chercher partialement à les contredire.

L'irritant problème du nombre et de la disposition des rames sur les galères a suscité bien des élucubrations confinant à la folie. Le chapitre d'Homère où Ulysse construit un bateau pour quitter l'île de Calypso, le récit fameux du naufrage de saint Paul par son compagnon Luc, les écrits d'Athénée sur un temps qu'il était loin d'avoir connu, ont été pris en main par des imaginations fertiles. Les dissections laborieuses qu'ils ont subies, les tortures endurées par chaque mot, rappellent tristement les interrogatoires de certains procès politiques.

L'archéologue dégage les villes abandonnées, détruites, d'un sol qui les a ensevelies à l'état de mort. Il éventre les nécropoles et s'efforce de reconstituer l'existence des morts en interprétant leur tombe, mais il est heureux, pour évoquer la vie romaine, de faire appel au miracle de Pompéi, seule avec Herculanum à avoir été précipitée dans le futur à l'état de vie. Ce miracle de Pompéi, si extraordinaire sur terre, s'est répété à chaque naufrage.

Les bateaux transportaient un échantillonnage d'objets de même date qu'une vie de patience ne suffirait à trouver, sous forme de débris, dans le sol des villes défuntes. Au cours d'escales, le bateau embarquait les produits de pays divers. Un labeur de bénédictin serait nécessaire à terre pour remonter une route commerciale avec une telle abondance de détails.

Le bateau a posé une portion de vie sur le fond de la mer, sans mêler temps et espace, comme les villes toujours remaniées. Il n'est pas un puzzle.

Les amphores du grand commerce des vins de l'époque romaine nous ont permis de découvrir les épaves par l'énorme tas qu'elles forment encore sur le fond de la mer. L'étonnante publicité faite autour de ces récipients a associé dans l'esprit du public l'amphore à l'épave antique.

Les bateaux porteurs de vin revenaient sans doute chargés d'autres denrées, mais les cargaisons putrescibles se sont désagrégées. Je pense que les bateaux aux cargaisons disparues existent encore, difficiles à déceler.

Nous connaissons au fond de la mer des cargaisons très diverses. Les deux grands bateaux romains découverts et fouillés au début du siècle, à Anticythère et Mahdia, portaient des œuvres d'art. De nombreuses épaves chargées de tuiles ont été découvertes en Méditerranée. On connaît des cargaisons de sarcophages, de blocs de marbre, de pierres de moulin, d'éléments d'architecture, de vaisselle, de minerai, de lingots de cuivre, de lingots de plomb, de métaux manufacturés. Les épaves du Moyen Age ou de la Renaissance, marquées par leurs énormes ancres ou leurs canons, sont encore peu connues du public.

A la cargaison s'ajoutent les traces de la vie quotidienne des marins qui, bien souvent, n'avaient pas d'autre demeure et emmenaient avec eux les objets auxquels ils tenaient: souvenirs d'escales ou héritages de famille. Comme une maison, le bateau est équipé d'instruments, de vaisselle, d'outillage et de tout ce que nécessite l'existence pendant de longs mois.

Quelques fouilles incomplètes nous ont révélé la nouveauté des informations apportées par les épaves et le bon état de conservation des fonds de coque. Cette conservation permet de tout espérer, par exemple trouver des bateaux tombés sur le flanc ou, bien que peu probable, à l'envers, qui nous feraient connaître les secrets de leurs parties hautes. Nous pouvons trouver des bateaux entiers, enfoncés sans déformation dans une vase molle ou voir, sous des mètres de sédiment, le gréement tombé sur le sol à côté d'un bateau incliné. Lorsque nous aurons vu une galère de combat, nous connaîtrons l'aspect de ses vestiges et nous en trouverons d'autres.

L'archéologie marine ne nous a pas encore fait connaître le bateau antique dans son ensemble, mais elle a déjà révélé d'importants détails de construction et posé des problèmes qu'éclaireront les fouilles futures.

Le bordé, constitué de grosses planches jointives,

fixées sur les membrures, est l'enveloppe étanche du bateau. A notre époque, ces planches sont simplement affrontées et les interstices sont calfatés avec de l'étoupe au moyen d'un ciseau spécial. Le bois en gonflant fait l'étanchéité.

Nous avons examiné des épaves dont la date varie du IIIe siècle avant Jésus-Christ au début du IVe siècle de notre ère. Leur bordé était toujours assemblé par tenons et mortaises. Une multitude de languettes de bois souple et résistant étaient encastrées dans la tranche des planches et clavetées par des chevilles de bois. Rendues solidaires les unes des autres, les planches de la coque ne pouvaient s'écarter ni se disjoindre en se gondolant. Elles formaient une coquille semblable à celle d'une tortue qui donnait une grande solidité au bateau et permettait un échantillonnage de bois qui nous paraît un peu faible. La précision de l'ajustage était telle que les joints sont à peine visibles après deux mille ans dans la mer. Cette façon de procéder nécessitait un travail d'ébénisterie impensable pour nous en raison du prix élevé de la main-d'œuvre. La somme écrasante de travail manuel consacré à ses diverses réalisations est le trait de l'Antiquité qui m'étonne le plus. Cette technique semble remonter à des temps très anciens, et nous ne connaissons pas encore l'époque à laquelle elle a été abandonnée. George Bass a fouillé en Turquie une épave byzantine datée par des monnaies d'or de la première moitié du VIIe siècle de notre ère. La partie supérieure de la coque présentait une structure moderne, alors que le reste était construit suivant le mode classique des tenons et mortaises. Les clous étaient en fer et plantés directement dans le bois, ceux des bateaux plus anciens étaient en cuivre et plantés dans des chevilles, d'où un surcroît de main-d'œuvre. Il s'agit probablement d'une époque de transition.

La technique du bordé tenu par des languettes rend difficilement concevable une réparation dans le même style. Le rapport sur le bateau d'époque romaine découvert à Londres en 1910, à New County Hall, donne le schéma d'un détail qui me paraît une réparation de la coque. La tranche des planches conservées a été taillée en escalier, ainsi que celle de la planche posée, leur joint a été renforcé intérieurement par une planche supplémentaire.

Nous avons constaté la coexistence à diverses époques de bateaux doublés de plomb pour les protéger des tarets et de bateaux non doublés. S'agit-il d'économies, de coutumes locales ou de raisons techniques qui nous échappent ?

Seuls quelques spécialistes s'intéressent aux détails de construction du bateau antique et nous n'avons pas encore tiré de la mer assez d'informations pour les satisfaire. En outre, toute spéculation générale dans ce domaine risque d'être prématurée et brutalement périmée par l'examen sérieux d'une coque entière en bon état. Je crois cet examen possible et imminent.

M. Benoit a eu le courage de poser le problème des bateaux à coque aiguë, avec demi-couples et varangues, sans contre-quille, et des bateaux à coque plate, à couples identiques, d'un seul tenant, renforcés par une contre-quille. Il y a là un fait troublant qui demande à être élucidé. J'ai vu des coques plates et d'autres aiguës. Je devrais plutôt dire aperçu car je n'ai vu de chacune qu'une faible partie. On peut penser que plusieurs types de construction navale ont coexisté ou se sont succédé parmi les contrées diverses groupées sous l'Empire romain. D'autre part, le bateau a une forme complexe et l'angle de sa coque varie d'un point à un autre de son axe. D'après les images, le bateau antique avait une forme élancée aux extrémités, et il n'est pas étonnant qu'un même bateau présente un fond de coque plat au centre et aigu aux extrémités. Or, jusqu'ici, nous n'avons jamais pu localiser une section de coque.

Dans la tranchée transversale du Dramont, le fond du bateau était plat, avec des couples identiques, sans contre-quille. Je crois avoir arraché au sable du bord de la tranchée un morceau de la pièce d'emplanture du mât. Sa face inférieure portait de petites encoches et des entailles complètes, indiquant une alternance de demi-

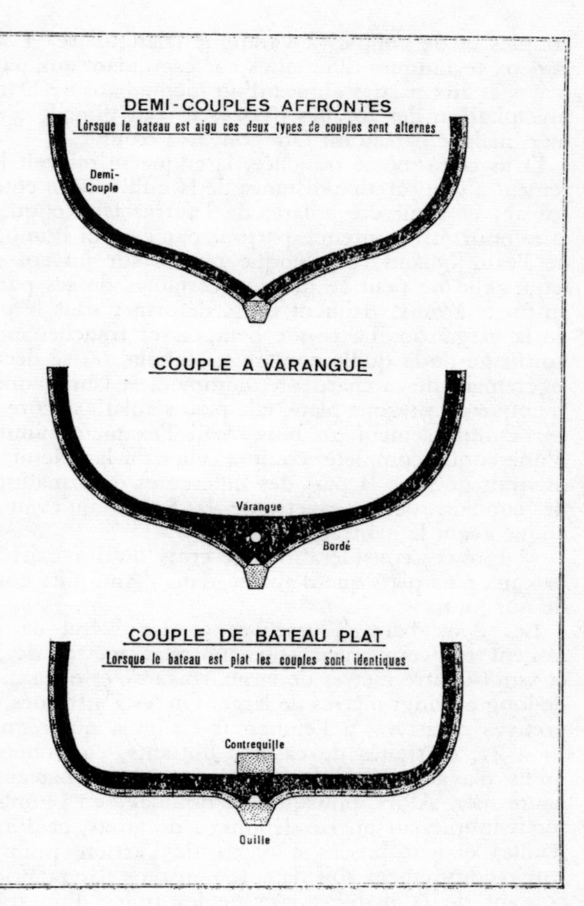
DEMI-COUPLES AFFRONTES
Lorsque le bateau est aigu ces deux types de couples sont alternes
Demi-Couple
COUPLE A VARANGUE
Varangue
Bordé
COUPLE DE BATEAU PLAT
Lorsque le bateau est plat les couples sont identiques
Contrequille
Quille

couples et de couples à varangue triangulaire. Y a-t-il là deux techniques différentes correspondant aux parties plates et aux parties aiguës d'un même bateau? Dans la précipitation des fouilles passées il était difficile d'affirmer, mais le bateau du Dramont m'a troublé.

Dans cette même tranchée, la coque se relevait légèrement à une certaine distance de la quille, d'un côté du bateau, et avait été aplatie de l'autre. Une coque est faite pour être soutenue partout par l'appui homogène de l'eau. Quand cette coque repose sur un sol dans lequel elle ne peut se mouler, certaines de ses parties, en porte à faux, risquent de se déformer sous le poids de la cargaison. La coque peut casser franchement au voisinage de la quille comme à Mahdia, ou se décoller légèrement de sa charpente, comme à la Chrétienne. Si la coque est presque plate, elle peut s'aplatir encore plus par ramollissement du bois. Seul l'examen minutieux d'une coque complète, comme celles du lac Némi, permettrait de faire la part des différentes déformations et de connaître avec exactitude la forme qu'avait une coque avant le naufrage.

Malgré ces considérations, je crois qu'il a existé des bateaux plus plats que d'autres, dans l'Antiquité comme de nos jours.

Les deux bateaux asséchés au lac Némi en 1928 avaient respectivement soixante-treize mètres de long et vingt-quatre mètres de large, soixante et onze mètres de long et vingt mètres de large. On les a attribués, sans preuves décisives, à l'empereur Caligula qui régna de 37 à 41, et traités de casinos flottants, en prétendant qu'ils n'avaient rien de commun avec les bateaux de haute mer. Alors, pourquoi ce doublage en plomb qui serait inutile sur un lac dépourvu de tarets, et dont les feuilles étaient posées à partir de l'arrière pour que leur recouvrement soit dans le bon sens par rapport au courant de la marche, comme les tuiles d'un toit se recouvrent en rapport avec la pente. Notons qu'il y a là un moyen précieux de reconnaître l'avant ou l'arrière d'une épave doublée.

Par la suite, les épaves découvertes par les plongeurs ont fait connaître une structure identique à celle des bateaux du lac Némi. Nous pensons trouver dans la mer des bateaux romains aussi grands, et cela n'aurait rien d'étonnant chez un peuple capable de concevoir des bâtiments utilitaires aussi colossaux que les Thermes de Caracalla.

Athénée parle par ouï-dire d'un bateau gigantesque construit par Hiéron II de Syracuse et utilisé à Alexandrie à l'époque de Ptolémée Philadelphe. Plus vraisemblable est la description par Lucien du navire marchand l'*Isis*, long de cinquante-trois mètres, qui rapportait le blé d'Egypte au IIe siècle de notre ère.

Les membres du club d'Etudes sous-marines de Tunisie évaluent la longueur du bateau de Mahdia à trente mètres. Je pense que le bateau du Grand Congloué avait plus de trente mètres et que celui d'Albenga était encore plus grand. Nous connaissons beaucoup de bateaux romains plus petits, mais une longueur de trente mètres était assez courante.

La taille des bateaux du lac Némi n'a été dépassée qu'à l'apparition de la marine en fer.

On estime que la *Santa Maria*, avec laquelle Christophe Colomb découvrit l'Amérique en 1492, avait une longueur totale de vingt-quatre mètres, pour une quille de dix-sept mètres et une largeur de huit mètres. Le *Vasa* du roi Gustave II Adolphe de Suède, coulé en 1628 et brillamment renfloué par les Suédois en 1961, avait une longueur totale de cinquante-sept mètres, sa plus grande largeur était de onze mètres soixante-dix. Le *Victory* de Nelson à la bataille de Trafalgar, en 1805, portait cent deux canons et huit cent cinquante hommes. Il avait une longueur totale de soixante-neuf mètres, pour une quille de quarante-six mètres et une largeur maximum de quinze mètres soixante. Lancé en 1869, le clipper anglais *Cutty Sark*, que l'on peut admirer à sec dans un bassin de Greenwich: soixante-cinq mètres de long, onze mètres de large.

LES AMPHORES

L'amphore, récipient de terre cuite, est caractérisée par un col assez étroit pour recevoir un bouchon, deux anses verticales, opposées, et un cul pointu, parfois terminé par un bouton. Elle nous paraît encombrante et difficile à manier, pourtant elle était d'un usage très courant. Pour verser le liquide, on la tenait d'une main par une anse et de l'autre par la pointe terminale. Il avait fallu choisir entre un récipient à cul plat, tenant droit de lui-même, et cette poignée qu'était la pointe à l'amphore. Pendant plus de mille ans, le monde civilisé a préféré cette dernière solution.

Dans les maisons et chez les marchands, des supports en bois ou en terre cuite étaient prévus pour les amphores. Dans les entrepôts, elles étaient piquées dans du sable ou appuyées contre le mur, puis les unes contre les autres. Dans les cales des bateaux elles étaient disposées verticalement, maintenues par les parois de la coque.

On imbriquait les pointes de la seconde couche entre les cols de la première et ainsi de suite. Nous en avons souvent vu trois couches. Au Grand Congloué, il y en avait plus, mais un pont ou entrepont séparait deux groupes de couches.

La terre cuite, non vernissée, est poreuse. On rendait les amphores étanches en les enduisant intérieurement d'une poix faite avec la résine de certains arbres: térébinthe, lentisque, cyprès, réputée pour le bon goût qu'elle donnait au vin. Des restes de cette poix sont bien conservés dans les amphores de la mer. Les Grecs actuels continuent à mettre de la résine dans leur vin pour lui donner ce goût résiné qu'ils apprécient, et qui nous surprend au début.

On mettait dans les amphores diverses denrées liquides, pâteuses ou solides: eau, vin, garum, poix, olives, graines, poissons en saumure.

Apportées pleines par les commerçants étrangers, les amphores s'accumulaient dans les maisons comme les bouteilles chez nous. On les utilisait à nouveau pour faire des conserves ou mettre les provisions du moment. Elles servaient aussi d'urnes pour les cendres des morts, de cercueils d'enfants en les sciant en deux, de tuyaux d'écoulement en cassant la pointe pour les emmancher les unes dans les autres. Certaines amphores longues et minces étaient même utilisées comme chevrons de toit, au Bas-Empire.

Leurs débris s'accumulaient dans les dépotoirs comme nos bouteilles cassées et nos récents récipients en matière plastique.

Les archéologues trouvent rarement dans la terre les bouchons qui portaient la marque du marchand de vin car ils étaient détruits en débouchant les amphores, par contre les épaves en fournissent constamment.

Beaucoup d'amphores portent le sceau du potier imprimé dans la terre avant cuisson, sur l'anse ou le col, et ces marques ont bien facilité l'étude de ces poteries. Virginia Grace, la grande spécialiste américaine, dit dans son petit livre *Amphoras and the ancient vine trade*, que quarante mille anses marquées ont été trouvées à Athènes et que plus de quatre-vingt-dix mille ont déjà été comptées à Alexandrie.

FORMATION DE L'ÉPAVE

Au cours de mon existence de plongeur, les épaves de tous les âges ont exercé sur moi une grande fascination. L'attitude prise par les bateaux au fond de l'eau les évoque sous un jour nouveau et vous fait mieux comprendre la mer, par le travail qu'elle a accompli.

Les épaves, assimilées par la mer, n'étaient pour moi, à mes débuts, qu'un cas particulier d'un monde à découvrir. Peu à peu elles me sont devenues familières et j'ai essayé, par bribes, de déchiffrer leur langage.

Participant à des excavations désordonnées qu'il est difficile de qualifier de fouilles, visitant sans moyens d'investigation des épaves de diverses époques, en un temps où l'archéologie marine n'existait pas, puis balbutiait, il n'était pas facile d'apprendre à lire une épave sur son seul aspect extérieur. J'ai été beaucoup aidé par les amphores.

Bien des matériaux soumis à la mer se désagrègent ou prennent une forme et un aspect naturel qui les dissimulent au plongeur. La mer n'est pas encore parvenue à cacher toutes ses amphores.

Bien sûr, tous les bateaux n'avaient pas une cargaison d'amphores, mais tous en avaient à bord un certain nombre pour les provisions des traversées.

Un vaste commerce des vins, puisant ses sources principales en Grèce et en Italie, eut lieu en Méditerranée pendant quelques siècles répartis autour du début de notre ère. La coque d'un « pinardier » de l'époque était entièrement remplie par une masse d'amphores qui prenait la forme du bateau. Après un naufrage, ces amphores se répartissaient en un désordre plus ou moins organisé, suivant la topographie du fond et la façon dont la coque se désintégrait.

Un choc modéré brise une amphore, chacune joue le rôle d'un indicateur de contrainte — strength gauge des Anglais. La taille des fragments et leur disposition indiquent la nature et l'importance des efforts ou des chocs subis par les diverses parties de la cargaison. De l'analyse de ces données, on pourrait déduire une certaine connaissance du bateau.

Chaque fois que nous avons travaillé sur une épave antique, j'ai entendu les visiteurs se préoccuper de la cause du naufrage. Ils voyaient là le drame essentiel, l'énigme principale qu'ils nous croyaient en train de débrouiller. Evidemment, nous aurions aimé savoir par quelle fausse manœuvre, quelle avarie, quelle tempête, le bateau avait été coulé, pouvoir évaluer la responsabilité du capitaine. L'accumulation de ces renseignements nous éclairerait sur les méthodes de navigation des marins antiques et les qualités nautiques de leurs bateaux. Malheureusement, à part l'incendie qui laisse peut-être des traces, la cause d'un naufrage est généralement impossible à déceler sur ses vestiges. Nous comprenons que le bateau a heurté telle côte ou tel écueil, mais nous pouvons formuler bien des hypothèses sur les circonstances du drame.

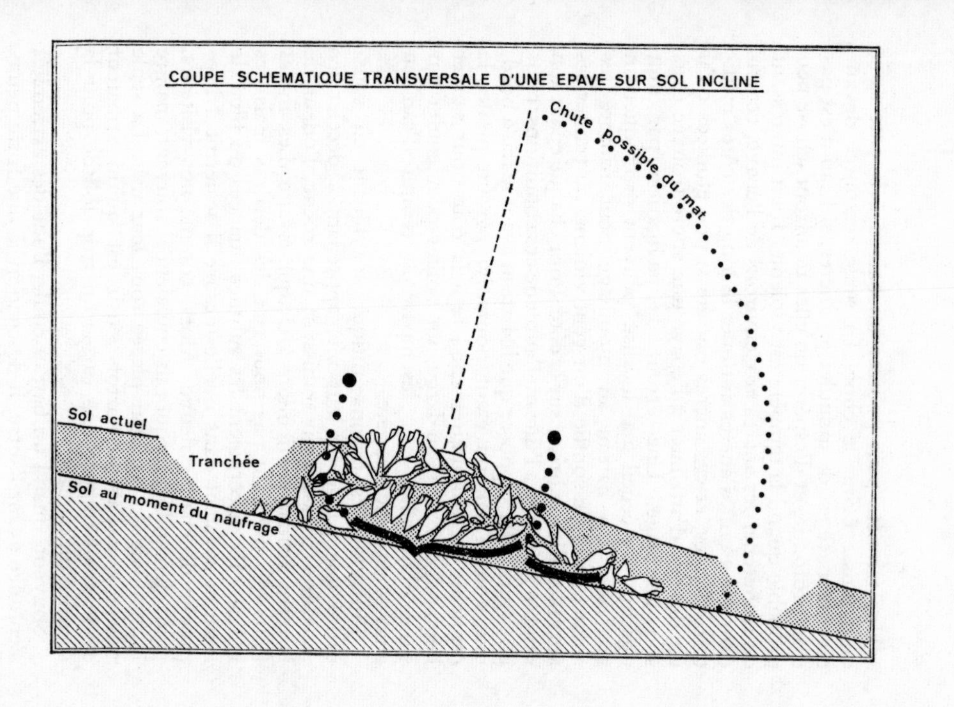
COUPE SCHEMATIQUE TRANSVERSALE D'UNE EPAVE SUR SOL INCLINE
Chute possible du mat
Sol actuel
Tranchée
Sol au moment du naufrage

Une tempête peut pousser un bateau à la côte sans qu'il puisse éviter le choc. La seule ressource devant cette menace est de mouiller les ancres, si l'eau n'est pas trop profonde, et d'espérer qu'elles tiendront, chose peu probable quand la tempête est violente. Il est intéressant de rechercher les ancres aux environs de l'épave, cependant il y a tant d'ancres antiques le long des côtes méditerranéennes, et ces ancres ont été si peu étudiées qu'il est difficile d'attribuer à l'épave une ancre trouvée dans son voisinage. Une erreur de navigation par nuit obscure, un écueil mal localisé, peuvent provoquer un naufrage. Un bateau au mouillage peut rompre ses amarres sous le souffle d'un vent violent, ou traîner ses ancres et aller se briser sur la côte. Pour chaque épave qui semble répondre à l'une ou l'autre de ces conditions, nous pouvons aussi supposer que le bateau ayant le feu à bord, une voie d'eau, ou étant poursuivi par un pirate, le capitaine l'a volontairement jeté à la côte pour sauver l'équipage. Enfin, au large, un voilier peut couler par suite d'incendie, être désemparé et rempli d'eau ou chaviré par une tempête.

J'imagine les marins antiques naviguant en sous-ordre une partie de leur vie, apprenant à déceler les moindres remous qui trahissent une roche, l'odeur de la terre proche particulière à chaque rivage. Les algues flottantes n'étaient pas pour eux des détritus mais des indices. Ils discernaient les subtiles nuances du bleu de l'eau et savaient dans quelle mesure il se ternit à l'approche de chaque fleuve. Alors, comme nos visiteurs, je me demande pourquoi ils coulaient si souvent, malgré la monnaie de bonheur placée sous leur mât. La seule raison que j'ai pu parfois saisir est qu'un armateur avide avait imposé une cargaison trop lourde pour la sécurité du bateau.

Souvent, quand un bateau coule, l'une des extrémités s'enfonce avant l'autre, il descend avec une forte pente. Les objets en cargaison et l'équipement en entrant dans l'eau perdent une partie de leur poids. Ceux plus légers que l'eau flottent ou remontent en surface s'ils ont été

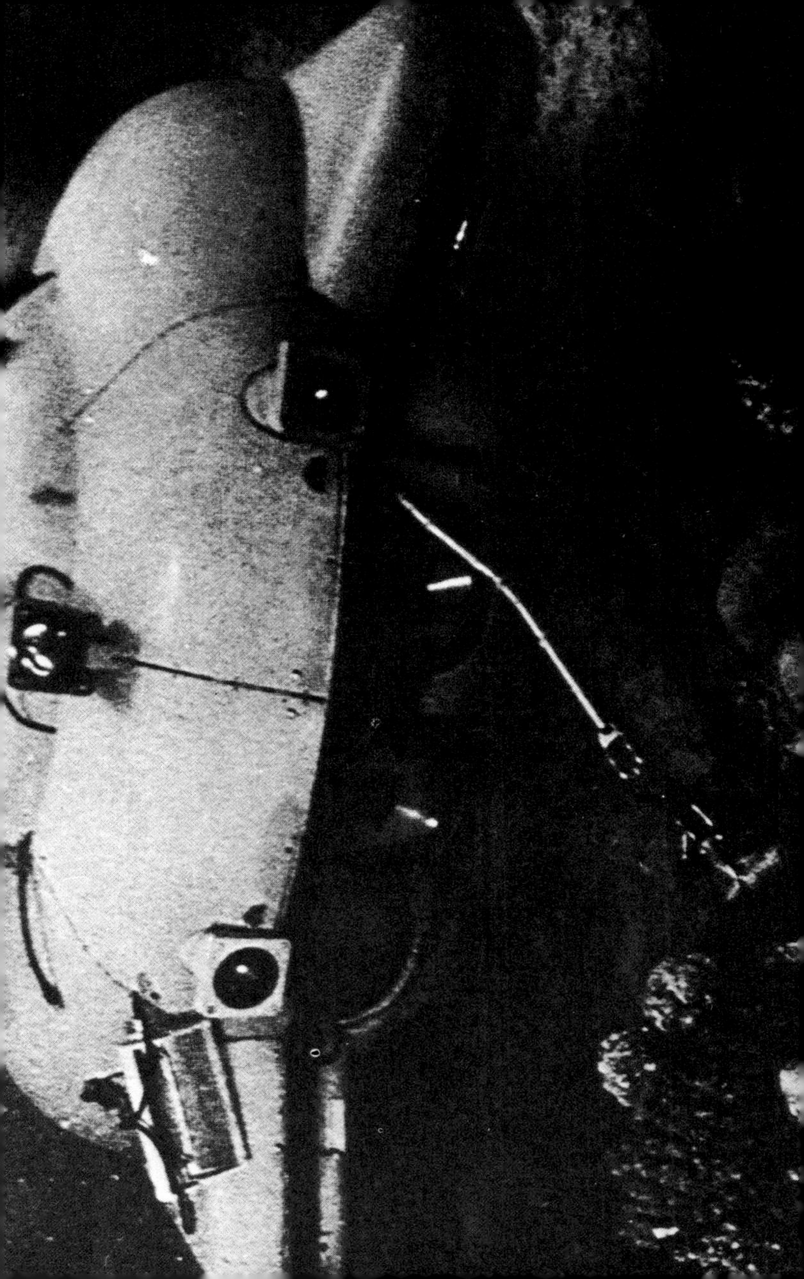

Avec la soucoupe plongeante de La Calypso
dont nous voyons ici le bras articulé,
l'exploration sous-marine a quitté « l'ère du bricolage
et de l'exploit individuel ». Columbia.

entraînés. Les objets légers, attachés, forcent vers le haut. L'inclinaison provoque un glissement des objets lourds ou même leur chute hors du bateau. Ces mouvements sont accentués par le courant relatif et les tourbillons provoqués par la chute. Nous trouvons des amphores dispersées autour de l'épave: certaines ont été entraînées plus tard par des engins de pêche, d'autres, échappées pendant la chute, sont tombées tout autour, parfois plus vite que le bateau car nous en trouvons sous sa coque. Des bateaux sont restés accrochés à une roche avant d'aller se poser sur leurs amphores perdues.

Il ne faut pas exagérer le désordre produit pendant la chute, les cargaisons sont solidement arrimées.

Quand le bateau touche le fond, il subit un choc, son inclinaison est brutalement modifiée, de nouveaux désordres peuvent se produire, surtout si le bateau rebondit sur les marches d'une falaise ou tombe en porte à faux sur des roches.

Bien des bateaux se posent intacts sur un fond plat. Plus tard, leur coque affaiblie par l'eau et la vie marine s'effondre sous le poids de la cargaison, alors se produit le maximum de bouleversement, au cours duquel chaque chose prend la position stable que nous retrouvons aujourd'hui. Quand les parois d'un bateau posé droit sur un fond plat s'effondrent, la masse des amphores bâille, s'ouvre en éventail, certaines glissent ou basculent et vont combler les vides. Sur les fonds unis, en pente, au pied des falaises et des écueils méditerranéens, le bateau repose plus ou moins incliné et les amphores se déversent dans le sens de l'inclinaison.

Pour comprendre le désordre d'une épave, il faut évoluer autour et estimer le rôle de la pente en fonction de l'axe du bateau, indiqué par la longueur du tas d'amphores.

J'ai observé les épaves de bateaux en bois récents ou anciens sans être antiques, ils se détériorent assez rapidement dans la mer. L'énorme frégate le *Panama*, par cinquante-cinq mètres de fond, n'est plus, après soixante ans, qu'un plateau de vase d'où dépassent des choses difficilement reconnaissables. Le bateau de la Grande Catherine de Russie, coulé depuis cent quatre-vingts ans a disparu, tassé sur lui-même sous le sable, et les objets échappés à l'ensevelissement sont recouverts de pierre par les concrétions. Il a pris depuis longtemps déjà l'aspect des épaves antiques.

La décrépitude des bateaux romains ne s'est pas échelonnée sur deux mille ans en un processus régulier, car rien n'expliquerait alors la fraîcheur des objets retirés de leurs décombres, ni l'étonnante conservation de leurs fonds de coques. Ils ont pris leur forme définitive en quelques années.

Le bateau en bois tombé au fond de la mer offre une masse inespérée de nourriture fraîche aux tarets, aux vers, aux micro-organismes. Toute une faune avide suit. Chaque bête en attire une autre qui la mange. Un énorme festin, une ripaille monstrueuse s'installe sur l'épave. La table est mise pour tous, baignée par l'eau vive dont la vie marine a besoin, comme la vie terrestre a besoin de l'air. Les superstructures s'effondrent, la coque ramollie, en partie dévorée, cède et s'ouvre sous le poids de la cargaison. Parfois un flanc se couche sous la charge et sera conservé, mais en moins bon état que le fond de la coque, car il a baigné plus longtemps en eau vive. Le bois, réduit à l'état d'éponge par les tarets, ne laisse dans le sable, comme témoin de sa présence, que les enveloppes tubulaires, blanches, de ces mollusques.

Le haut du bateau a formé en se désagrégeant un dépôt infiltré dans la cargaison et qui protège la partie basse.

En quelques années le suc est vidé, le banquet terminé, aucun reste comestible n'est désormais accessible à la vie. L'épave a pris l'aspect que nous retrouverons, elle devient un support.

La vie marine affectionne les reliefs du fond, où elle trouve une eau plus favorable à sa croissance. Aux animaux, aux animalcules affamés de matière organique succède une vie sédentaire fixée, que nourrit l'eau. Des algues poussent, des animaux semblables à des plantes s'incrustent, sécrétant un squelette ou une enveloppe calcaire dont les débris s'infiltreront dans le monticule et perfectionneront la protection de la vase issue de la décomposition du bateau. Arrivent langoustes et homards qui broient la matière vivante et accumulent ses déchets. Les poissons viennent tournoyer, puis s'installent dans les interstices. Les poulpes emménagent dans les amphores et savourent dans ces antres les coquilles qu'ils y abandonnent. Les concrétions bâtissent une couche de pierre et fossilisent l'épave. Elles soudent entre elles les amphores, protègent la forme du fer qui disparaît peu à peu à travers la gangue pour ne laisser qu'un jus noir au bout de deux mille ans, elles font aux statues des masques hideux. Ces concrétions sont encore en voie de formation à l'heure actuelle sur les vestiges apparents. La fouille les dégage du sol blanches et nues, et leur diminution à mesure que l'on creuse raconte comment l'épave s'est ensevelie dans le temps. Car, après une phase de formation relativement courte, l'épave est livrée au règne du minéral, qui évolue avec la lenteur géologique de la terre.

La pluie draine le sol terrestre dans la mer et dans les fleuves qui acheminent les produits de l'érosion vers la mer. Vagues et courants trient ces matériaux et les répartissent. Les produits grossiers demeurent au voisinage des côtes, seules les petites particules se répandent au loin. La plaine de vase commence insidieusement quand diminue le sable côtier.

A cette sédimentation s'ajoutent les débris de la vie marine partout où celle-ci est intense, pour contribuer à la montée du fond de la mer.

Au pied d'une falaise, l'épave reçoit les débris tombant de la paroi: coquillages, oursins, fragments de calcaire arrachés à la zone léchée par les vagues, où les concrétions forment une sorte de trottoir. L'érosion détache au-dessus de l'eau des pierres et des roches qui s'accumulent sur l'épave.

Le long des côtes ou des écueils voisins, la montée du fond est généralement beaucoup plus importante qu'au large, mais partout elle varie considérablement avec la nature des terres qui bordent la mer, la présence de fleuves, la forme des côtes et bien d'autres facteurs.

La composition du fond et sa texture ont une importance capitale pour la conservation d'une épave. Plus le fond est mou, plus elle s'y imprime à l'origine et mieux elle s'y conserve, compte tenu des phénomènes électrochimiques susceptibles d'en modifier les matériaux.

En Méditerranée, les épaves tombées au pied des côtes rocheuses se trouvent en général dans un sable meuble, parfois dépourvu de vase, et que la main chasse facilement. Celles plus éloignées du rivage sont souvent prises dans une vase compacte, en voie de durcissement, qui a la consistance de la glaise. Cette vase se laisse pénétrer par la main avec réticence, mais le trou ne se rebouche pas comme il le fait dans le sable. La nature du fond conditionne la conduite de la fouille.

Obstacles nouveaux aux mouvements de la mer, certaines épaves, aux profondeurs où la houle balance encore le sable que déplace alors le courant, ont retenu ce sable, et celui-ci se faufilant sous la coque en a soutenu la forme comme un berceau. Il en est aussi où le sable a pénétré par les brèches entre la coque et le plancher intérieur avant le ramollissement du bois, et ce plancher ne s'est pas cassé entre les membrures, comme tant d'autres l'ont fait. D'autres épaves ont provoqué des turbulences du courant qui les ont ensevelies comme le vent forme les dunes du désert ou les congères des champs de neige.

Nous découvrons la plongée et nous nous intéressons aux épaves antiques à l'heure où beaucoup d'entre elles sont sur le point de disparaître à jamais pour nos yeux. Certaines sont déjà recouvertes, notamment parmi celles aux cargaisons putrescibles ou dépourvues de cargaison comme les galères de combat. Nous les trouverons encore sur des fonds éloignés des côtes ou en des zones littorales de faible sédimentation.

Quand un plongeur rencontre des poteries cassées, il ne sait pas toujours distinguer une épave d'un point de mouillage utilisé pour attendre que change de direction une faible brise contraire, pour s'abriter du mauvais temps ou commercer. Ces mouillages se sont perpétués pendant des siècles aux mêmes endroits, maintenant oubliés car les méthodes de navigation sont différentes et les ports plus nombreux. Des ancres s'accrochaient et leurs cordes cassaient, des objets tombaient à l'eau par maladresse, les manipulations de poteries s'accompagnaient de petits accidents et les débris étaient jetés par-dessus bord.

Ces points de mouillages se reconnaissent à la disposition des objets dans le sol, très différente de celle des vestiges d'un bateau. Les tessons s'échelonnent en profondeur dans le temps, mais le plongeur est rarement à même de dater les tessons.

D'ailleurs cette stratigraphie n'est pas toujours régulière. Etrangers à la mer, nous avons tendance à croire que les éléments règnent seuls en maîtres sur le fond. On oublie l'intervention de l'homme et des animaux. De nombreux bateaux ont continué à mouiller au même endroit, leurs ancres ont parfois arraché des poteries. Des filets ont été posés, relevés, qui ont remué ces poteries et en ont maintenu certaines hors du sol. Cette intervention humaine nous a gardé quelques morceaux d'amphores visibles sur des épaves complètement enfouies, elle a éparpillé les poteries de surface d'autres épaves.

Les animaux fouisseurs faussent également les données de l'histoire. Les poulpes creusent leur maison dans le sol et utilisent les cailloux rencontrés, les coquillages, les bouts de verre et les tessons de poterie pour édifier de petits murs et des pavages semblables aux constructions des enfants et qui, en immobilisant le sable, empêchent les mouvements de la mer de combler leur trou. Je les soupçonne même d'apporter les matériaux des environs, sans respect pour l'archéologue. Quand, dans une jarre ou une amphore, nous trouvons un objet que ce savant dit d'une autre époque, nous préférons accuser l'animal.

Certains oiseaux et les castors nous étonnent par l'ingéniosité déployée pour la confection de leur maison. Les poulpes ne leur sont pas inférieurs. Sur un fond plat et nu, de larges pierres plates étaient à moitié ensablées. Les poulpes avaient légèrement soulevé certaines de ces pierres et les avaient calées avec des cailloux, puis avaient organisé un petit jardin de banlieue devant leur porte. Par cinquante mètres de fond, je n'aurais pas remarqué une amphore massaliote isolée, couchée et presque entièrement enfouie, si un poulpe n'avait dégagé le goulot du sable et creusé un vide à l'intérieur. Un dallage de cailloux pavait l'entrée de cette demeure vénérable.

Les amateurs qui font de la plongée pour leur plaisir se promènent très rarement au large, sur les fonds plats et monotones où l'on ne rencontre rien et que la profondeur rend souvent difficilement accessibles. Ils choisissent les fonds de roches mouvementés, animés par les poissons, où l'on trouve des éponges, des gorgones décoratives, du corail, des langoustes. Ils découvrent donc les épaves côtières par fond de roche et, sans s'en douter, pratiquent une sélection qui met en évidence ce type d'épave au détriment des épaves des côtes sableuses et de celles du large.

Les chances de découvrir une épave antique dépendent de son aspect et celui-ci varie suivant le type de la côte.

Certains rivages sableux, proches des grands fonds, reçoivent les vagues et la houle avec toute leur force. Les bateaux coulés y sont souvent détruits, et leur cargaison est éparpillée avant de s'enfouir dans le sable. D'autres côtes sableuses descendent lentement. Les fonds de quelques mètres s'étendent si loin que la force des tempêtes est brisée avant d'atteindre le rivage. Des courants latéraux y déplacent périodiquement de grandes masses de sable et enfouissent les épaves, sans dispersion. Certaines années, une partie du sable s'en va, les épaves deviennent visibles. De même, en certains points des

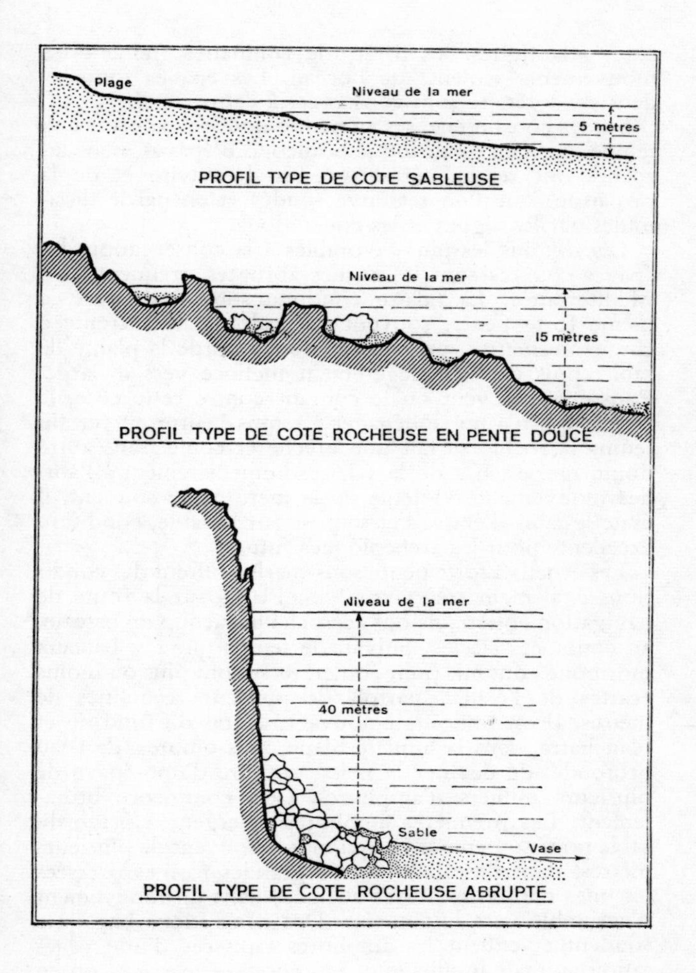
Plage
Niveau de la mer
5 mètres
PROFIL TYPE DE COTE SABLEUSE
Niveau de la mer
15 mètres
PROFIL TYPE DE COTE ROCHEUSE EN PENTE DOUCE
Niveau de la mer
40 mètres
Sable
Vase
PROFIL TYPE DE COTE ROCHEUSE ABRUPTE

côtes atlantiques, les forêts de laminaires freinent les mouvements violents de l'océan. Les épaves tombées dans ces forêts se sont conservées à l'abri.

Sur les côtes rocheuses en pentes douces, exposées aux tempêtes, la mer a disloqué beaucoup d'épaves, mais les roches ont retenu certains restes du navire et de la cargaison, que l'on retrouve soudés et en partie dissimulés par les algues et les concrétions.

Les terrains les plus favorables à la conservation des épaves côtières sont les roches abruptes, fréquentes en Méditerranée. La falaise continue sous l'eau avec la même forte pente, souvent verticale et, vers trente à cinquante mètres, un talus d'éboulis borde la plaine de sable, puis de vase, légèrement inclinée vers le large. Poussé par le vent ou le courant contre cette côte, le bateau qui n'a pu se dégager à temps heurte un certain temps la roche, se fait une brèche et coule, sans autre dommage, au bas de la falaise, immédiatement à l'abri des mouvements violents de la mer. Assez souvent, il évite le talus d'éboulis et se pose sur le sable, condition excellente pour les archéologues futurs.

Les écueils à forte pente sous-marine offrent des conditions également très favorables. Placés sur la route de navigation côtière, ils ont accroché beaucoup de bateaux au cours des siècles. Suivant le temps que ces bateaux moribonds ont mis pour couler, ils se sont plus ou moins écartés de l'écueil, parfois de plusieurs centaines de mètres. Il est toujours émouvant, au ras du fond nu et blanchâtre, dans la lumière bleue, sans ombres, de l'eau profonde, de deviner la masse sombre d'une épave de plusieurs milliers d'amphores. Cela commence brutalement. Les premières amphores émergent à peine du sable pour soutenir le tas qui monte souvent de plusieurs mètres, dans l'escalade de ces grandes formes pressées les unes contre les autres et figées dans un mouvement d'ensemble vers le sommet. Des concrétions baroques soudent et enflent les amphores tapissées d'une végétation animale inquiétante. Les éponges massives ou en corolles font des taches de chair noire. Des poissons couleur de l'eau tournoient au-dessus de la butte, d'autres, d'une matière plus réelle, jouent avec les anfractuosités, animant ce désordre organisé qui fut jadis une cargaison de vases lisses et nus, soigneusement empilés dans une cale. Parfaitement limitée sur la plaine stérile, l'épave dessine la forme ovale du bateau et projette ses amphores encore debout, hors d'un sol dans lequel leur masse va s'élargissant.

Sur certains écueils, plusieurs bateaux éventrés à diverses époques se sont superposés. En eau peu profonde, leurs vestiges étalés et mélangés par la mer sont en un tel désordre qu'il est difficile de distinguer le nombre des épaves et de les identifier. Ces « complexes » peuvent fournir des trouvailles intéressantes, renseigner sur le commerce régional et les voies de navigation. Ils rendent très difficile l'étude complète d'une épave.

Il est des zones rocheuses balayées par le courant, par exemple un col sous-marin, où les sédiments et le sable produit localement sont emportés. L'épave n'y jouit d'aucune protection par enfouissement et subit un concrétionnement qui peut atteindre des proportions considérables, au point de dissimuler les vestiges dans la pierre.

Un phénomène analogue intervient lorsqu'un bateau tombe sur un éboulis rocheux formé de blocs laissant entre eux des intervalles où l'eau circule. La matière organique provenant de la désintégration de l'épave s'infiltre entre les blocs, comme le sable produit localement et les autres matériaux de la sédimentation. Aucun lit ne protège la coque. Seuls subsisteront, parmi les roches, les éléments imputrescibles de l'épave, plus ou moins concrétionnés.

Un épais herbier de posidonies tapisse de vastes étendues des fonds côtiers méditerranéens, entre le rivage et les fonds de quarante mètres. Ces herbiers, appelés mattes, ne sont pas partout homogènes. On y rencontre des dépressions à fond de sable appelées intermattes, dont la profondeur et la largeur varient de cinquante centimètres à deux ou trois mètres. Ces dépressions forment des cuvettes, des tranchées sinueuses ou rectilignes qui peuvent atteindre plusieurs centaines de mètres de long. Les bords de la dépression sont verticaux, avec un renfoncement à la base.

L'épave tombée dans ces herbiers est souvent très difficile à déceler: son tumulus se confond avec les mamelons naturels, les herbes dissimulent sa surface. Un sondeur donnant une image des diverses couches du fond devrait pouvoir la détecter.

Parmi les nombreuses épaves antiques de l'herbier, quelques-unes sont visibles, à cheval sur l'intermatte, ou ayant défié la croissance des posidonies par leur masse stérile.

La fouille de ces épaves est, au début, pénible et lente. Les plantes sont solidement cramponnées au sol, il faut utiliser une griffe de jardinier pour les arracher par petites touffes. C'est alors un mélange coriace de sable et de racines qui résiste aux outils comme un tronc de palmier. La suceuse et la lance à eau apportent une aide en débarrassant les racines du sable, mais leur action est limitée. Ces racines semblent se conserver indéfiniment, et il en a beaucoup poussé depuis deux mille ans. La sonde métallique s'enfonce facilement et profondément dans ce sol. Elle permet de délimiter le contour du site. Ces épaves sont généralement très bien conservées. Leur étude permettra, entre autres, de dater avec certitude la croissance des herbiers en divers points de la côte.

Dans le vaste domaine de l'archéologie marine, l'épave reste le vestige de l'activité humaine la plus spécifiquement liée à l'eau, et, de ce fait même, la prospection en est difficile. Les villes antiques, nivelées par leur effondrement, ont accumulé les poussières des vents, la végétation revenue y a entassé son humus. Beaucoup ont disparu. Pour retrouver ces villes, nous sommes souvent aidés par les textes qui les mentionnent. Pour retrouver leur nécropole, nous sommes aidés par l'analogie de disposition des cités des morts par rapport aux villes. Au seul aspect d'un paysage, le spécialiste a le sentiment de ses possibilités archéologiques, car les constructions humaines, villes, tombes ou palais, sont liées au sol par le choix de l'emplacement favorable, qui obéit à des règles, à des coutumes. Pour chercher les épaves, nous ne sommes aidés par rien, car le naufrage est accidentel, aucune volonté humaine n'a présidé aux relations entre l'épave et le sol.

Si chaque naufrage est le fait du hasard, leur répartition générale obéit à une certaine logique. Il sera fructueux de rechercher leurs traces autour de certains dangers pour la navigation: écueils, îlots isolés, caps proéminents, situés dans les régions de grand trafic maritime.

CONSERVATION DES MATÉRIAUX

Le sol marin conserve relativement bien les vestiges du passé et, si certains disparaissent, beaucoup gardent leur aspect extérieur ou demeurent inchangés. Leur état de conservation varie considérablement suivant la nature chimique et physique du sédiment et les micro-organismes qui peuvent s'y trouver. En particulier, les micro-organismes associés à la décomposition des matières organiques produisent des composés corrosifs pour certains métaux. Un fond de sable propre n'aura pas les mêmes effets que certains fonds de vase.

En deux mille ans, les matériaux d'une épave ont subi des modifications dues aux agents biologiques, physiques, chimiques et électrochimiques, ils ont atteint un état à peu près stable, en équilibre avec le milieu.

La fouille modifie ce milieu en exposant à l'eau vive des matériaux protégés par plusieurs mètres de sédiment.

Il est dangereux, par exemple, d'abandonner longtemps une coque mise à nu.

Exposés à l'air, beaucoup de matériaux de l'épave subissent des modifications profondes. L'eau, en s'évaporant, provoque la distorsion et l'effondrement des bois, les sels cristallisent et brisent la surface des poteries vernissées et des métaux devenus friables. L'apport intense de l'oxygène de l'air déclenche une nouvelle phase de corrosion.

La première précaution en sortant un objet de la mer est de le mettre le plus vite possible à tremper dans l'eau douce, en attendant de prendre une décision. On peut le transporter dans un sac en matière plastique, pour éviter l'évaporation.

Les bois des bateaux antiques, protégés par la cargaison et le sédiment, ont conservé un aspect de fraîcheur étonnant. On distingue immédiatement le bois blanc du bois dur. Les surfaces gardent la trace des outils qui les ont façonnées: coups de scie, de ciseau, d'herminette. Les joints des coques sont encore parfaits et il n'est pas toujours possible de les distinguer.

Cet aspect est trompeur. Le bois blanc est mou, les planches cassent à la moindre traction. Seul le cœur de certaines pièces de bois dur a conservé toutes ses qualités.

Retiré de l'eau, le bois change rapidement d'aspect en séchant, les diverses essences se comportent différemment. Tous les bois se rétractent, certains sans changer de forme, d'autres en se tortillant, se fendillant, se feuilletant, s'écaillant.

Des modifications profondes se sont produites dans la composition chimique et la microstructure du bois, il a subi une dégradation de sa matière, une partie de son tissu a disparu, il est gorgé d'eau.

La conservation des bois ayant séjourné des siècles dans la mer est l'un des problèmes majeurs de l'archéologie marine. Les recherches en cours pour essayer de le résoudre s'orientent dans deux directions. Une méthode consiste à remplacer l'eau contenue dans la structure du bois par une série de liquides, dont le dernier s'y solidifie. Une autre méthode s'attaque à consolider le tissu ligneux subsistant et lui donner assez de rigidité pour l'empêcher de s'effondrer en séchant.

Le bois n'est pas la seule matière organique conservée dans les épaves. Nous avons trouvé entre les lingots un fond de panier, sans doute préservé par l'oxyde de cuivre, sur l'épave de Turquie, vieille de plus de trois mille ans. Nous y avons aussi récolté quelques noyaux d'olives et des os de poisson, que l'on trouve fréquemment dans les amphores d'époque romaine. J'ai manipulé le cuir de deux fourreaux de sabres du *Slava Rossii*, alors que l'acier de la lame avait disparu. Bien des naufrages ont fait des victimes, mais les hommes se débattent, leurs corps coulent lentement et peu demeurent sur le bateau s'ils ne sont emprisonnés dans ses flancs. Pourtant les Italiens ont trouvé un crâne humain portant les traces d'un casque, sur l'épave de Spargi, datée de cent vingt à cent avant Jésus-Christ. Parmi les boulets de marbre de toutes tailles et les canons longs ou courts d'une épave du XVIe, j'ai ramassé les crânes et les os brisés de plusieurs marins, mêlés dans le sable à des poteries éclatées, près de pièces d'argent éparses ou groupées. Dans le sol où gisaient les débris de ces hommes, se voyait la forme de leur grande rapière de fer. Les ustensiles de cuisine en cuivre étaient froissés comme de vieux journaux. Après le naufrage, les canons, les boîtes à poudres massives, les boulets, les rouleaux de feuilles de plomb, emprisonnés dans les entreponts, avaient en s'entrechoquant sous les tempêtes broyé les poteries et les os des morts.

Les métaux se rencontrent rarement à l'état pur dans la nature. Ils se présentent le plus souvent sous forme de minerai, c'est-à-dire combinés avec des éléments non métalliques. Le minerai représente la forme stable à l'état naturel et, quand le métal obtenu par l'homme retourne à la nature en tombant dans la mer, il tend à revenir à cette forme minérale stable, par corrosion.

La plupart des métaux sont sujets à la corrosion, mais

elle peut être lente ou rapide, suivant la nature du métal et celle du milieu ambiant.

Les phénomènes électrochimiques jouent un grand rôle dans la corrosion.

Ils sont dus à une différence de potentiel créée par le contact ou le voisinage de métaux différents, baignant dans un électrolyte, ici l'eau de mer. La corrosion se porte sur le métal le plus vil et le phénomène protège le plus noble. En général les alliages souffrent plus que les métaux purs. Les effets électrochimiques se produisent aussi sur un métal immergé seul, à cause d'inclusions locales dans sa surface, de différences dans sa porosité ou de variations de la teneur en oxygène de l'eau de mer.

Un objet en fer enfoui dans le sol marin provoque un durcissement du sable qui l'entoure et forme souvent un bloc de concrétions épais et très dur. En eau vive, le fer se concrétionne presque toujours fortement. Si l'on casse la gangue d'un canon en fer immergé depuis quelques siècles, on s'aperçoit avec étonnement que sa surface n'a pas été modifiée, les ornements et les inscriptions sont très nets, pourtant sa matière a l'aspect et la consistance du chocolat. Les objets massifs gardent longtemps une âme métallique au cœur de cette substance que le couteau entame. Après un certain nombre de siècles, l'âme métallique a disparu, sans modification de la forme, ni de la surface. La matière des objets antiques en fer, isolés, a totalement disparu pour ne laisser qu'un jus noir dans un moule de pierre. En coulant du plâtre dans ce moule naturel, on retrouve tous les détails de l'objet. Les barres de fer d'époque romaine de l'épave d'Hyères forment une grande masse compacte, couverte d'une couche de concrétions dures. Sous cette gangue subsiste une matière noirâtre, spongieuse et friable, mais la forme de chaque barre se voit très bien.

J'habite près de la mer, l'air salin pénètre le ciment mal préparé de ma maison et fait enfler les fers noyés dedans. Les scellements éclatent. Sous l'eau, le fer diffuse gentiment à travers la gangue de pierre.

J'ai ramassé sur un petit cargo, coulé depuis soixante ans, un hublot de bronze à monture de fer encore fixé sur un bout de planche protégé par le voisinage des métaux, alors que tout autre bois avait disparu. Une concrétion imbibée de rouille faisait un bourrelet autour du hublot de bronze. Sous ce hublot, la monture de fer paraissait intacte et avait conservé sa peinture bleue, mais elle avait la consistance du chocolat. Le fer avait émigré à travers la peinture par effet électrochimique.

Le cuivre et ses alliages, bronze et laiton, se conservent assez bien, tout en subissant une certaine corrosion. Les grandes statues grecques en bronze, tirées de la mer, avaient une surface rugueuse et quelques trous. La restauration a pu leur donner bonne apparence. J'ai trouvé dans le sable de la *Chrétienne* un bracelet de bronze qui n'avait même pas de patine. Sur cette épave, la monnaie de bronze placée sous le mât était légèrement rongée et couverte d'une gangue. Après nettoyage, la tête de femme se voit très bien. Par contre, la monnaie de bronze de l'épave de Port-Vendres n'était plus qu'une gangue qui gardait les empreintes des faces parfaitement nettes.

Heureusement pour nous, la surface d'un objet métallique se conserve très souvent dans la mer, malgré les modifications subies par le métal. Le phénomène dépasse le cadre des métaux. On voit près de chez moi, sur une haute falaise verticale de roche blanche et lisse, les empreintes des pas d'un dinosaurien. Elles n'ont jamais été qu'une surface.

Autour de l'épave de l'âge du bronze fouillée en Turquie, nous avons trouvé quelques lingots dont le cuivre était en parfait état. Ces mêmes lingots, pris dans la masse de plusieurs centaines de kilos d'alliages divers, étaient devenus friables par effet électrochimique. Il en était de même pour les petits objets de bronze, isolés ou pris dans la masse de la cargaison. M. Bouscaras, en 1965, avait déjà récupéré, à Agde, mille cent objets divers, de bronze et cuivre, dispersés dans le sable: cargaison d'une épave de l'âge du bronze étalée par la

Sortant de la maison sous la mer, ce scaphandrier de l'équipe du commandant Cousteau s'apprête à aller explorer les fonds sous-marins avec son « scooter ». Columbia.

mer dans les fonds de huit à dix mètres. Tous ces objets étaient en bon état, parfois à peine ternis. Certains, usés et polis, avaient subi jusqu'à nos jours les mouvements du sable.

Les clous de cuivre, encore plantés dans le bois des épaves antiques, sont réduits à l'état d'oxyde. Par contre, ceux qui se sont échappés du bois décomposé sont presque intacts dans le sable. Certains gardent une fourrure de bois préservée par l'oxyde. Leur état de corrosion semble dépendre du temps passé dans le bois. Après plus de deux mille ans, les petits lingots de laiton de la tourelle des Magnons ont une patine mince sous laquelle le métal est sain. Sur un cargo coulé il y a quelques dizaines d'années, j'ai pris un habitacle de compas en laiton, avec ses deux petites lanternes. Le métal cassait facilement entre les doigts, montrant une tranche cristallisée. Un cargo, assemblage de métaux divers, est un excellent terrain pour les effets électro-chimiques.

Le plomb se conserve très bien, l'étain encore mieux. Plusieurs écuelles et cruchons d'étain ont été trouvés à l'état de neuf sur des épaves du XVIe, comme les plats d'étain du *Slava Rossii* aux armes de la Russie impériale.

Les jas de plomb et pièces d'assemblage des ancres antiques, les anneaux et autres éléments de gréement, en plomb, sont rugueux mais brillent dès qu'on les gratte. Le doublage en plomb des bateaux, épais d'un millimètre et demi, est encore à l'état métallique. Les lingots de plomb de la Tourelle des Magnons portent encore des inscriptions parfaitement nettes.

L'argent isolé sur une épave se corrode dans la masse et se couvre d'une légère couche de concrétions particulières. La monnaie d'argent que j'ai ramassée isolée sur une épave de la première moitié du XVIe était friable, mais sa gangue conservait les empreintes des faces. Par la suite, j'ai monté, sans m'en douter, un bloc de cent vingt-sept de ces pièces des doges de Gênes. Je dus le séparer d'une boîte à poudre trop lourde, pour l'apporter au Cabinet des Médailles. Une poignée de pièces brillantes tomba de la cassure. J'ai vu sur le bureau de M. Benoit les monnaies d'argent trouvées sur l'épave romaine du cap Sicié. Elles avaient été nettoyées et brillaient. Je suppose qu'elles formaient un bloc.

Les pièces d'or trouvées dans le fond de la mer étaient intactes.

Les statues, sarcophages, chapiteaux, en marbre, se conservent admirablement quand ils sont enfouis dans le sol marin. Ceux qui baignent en eau vive ont été dévorés par les dattes de mer: lithodomus lithofagus. J'ai souvent cassé à coups de masse, en plongée, les blocs d'une certaine jetée pour récolter ces délicieux coquillages. Vivant dans la pierre calcaire, les dattes n'ont pas besoin d'autre protection. Leur coquille ovale, marron clair, longue et étroite, est mince et fragile. Dans les blocs des jetées, les dattes atteignent la longueur d'une grosse moule. Sur la côte, en eau moins riche, elles restent petites. La surface de la pierre est parsemée de trous bien plus étroits que ces coquillages, ils ne peuvent pas sortir de leur maison. Les alvéoles de la pierre épousent la forme cylindrique de la datte et leurs parois sont lisses et douces au toucher. On dit que cet animal creuse en tournant sur lui-même et s'aide d'une sécrétion acide. Les logements sont répartis avec une certaine fantaisie mais un instinct sûr de l'utilisation maximum de l'espace, si serrés par endroits qu'ils empiètent légèrement les uns sur les autres par des vides où l'eau circule. Après la première couche en est une autre plus avant dans la pierre. Mes investigations gastronomiques en sont restées là.

Des animaux plus petits attaquent aussi les pierres calcaires et y laissent une multitude de petits canaux ou alvéoles.

Les autres roches ne sont pas altérées, les plongeurs rapportent souvent des ancres primitives en pierre saine. La pierre est un élément naturel.

Les poteries se conservent admirablement dès que le sable ou la vase les protègent. En eau vive, elles se couvrent de concrétions qui peuvent altérer leur surface, ou encore elles subissent une érosion.

Placées au soleil au sortir de l'eau, certaines amphores se fendent. Le soleil chauffe et sèche la couche superficielle avant les couches profondes et l'ensemble du même côté avant le flanc à l'ombre, créant des tensions internes qui peuvent provoquer des ruptures. Beaucoup d'amphores résistent à ce traitement mais, dans le doute, il vaut mieux les laisser sécher lentement, à l'ombre.

La faïence moderne ou ancienne et la poterie antique à vernis noir sortent intactes du sol marin. Si vous les abandonnez sur une étagère, leur eau s'évapore, les chlorures cristallisent en faisant éclater l'émail ou le vernis. Au bout de quelque temps vous n'avez plus qu'une forme de terre nue dominant un petit tas de poussière. Il faut faire tremper les poteries de ce type de longs mois dans l'eau douce renouvelée, avant de les laisser sécher lentement.

LE PILLAGE

Depuis plus d'un quart de siècle, le scaphandre autonome a rendu la plongée accessible à tout le monde.

Le mystère qui semble planer sur la mer, la beauté nouvelle des paysages sous-marins, l'orgueil de ce qui était encore un exploit, la sensation toujours rêvée d'évoluer sans poids dans l'espace, suffisaient aux premiers plongeurs. Certains se passionnèrent pour la chasse et les poissons devinrent rares, craintifs. Ce fut alors la récolte des langoustes, des éponges, du corail rouge qui, dans la multiplicité de ses formes, dessine rarement la croix, bijou si recherché.

Malgré son attrait, plonger était alors un sport rude pour nos corps sans vêtements, seule une passion pouvait faire oublier le froid de l'eau.

La pensée du trésor hante beaucoup d'entre nous. La mer en contient certainement de fabuleux. Les plongeurs apprirent sa taille immense et son grand pouvoir de dissimulation.

Au long des côtes découpées de la Méditerranée, ils rencontraient un bric-à-brac antique: jas en plomb, poteries cassées, cargaisons enfouies des épaves d'amphores. Etroit au début, le monde de la plongée s'élargit en maintenant le contact entre ses fanatiques. Les trouvailles archéologiques excitèrent une émulation, un but nouveau se dessinait, on ne rentrait plus les mains vides.

Il faudrait être un saint, et encore un saint doté d'une forte culture scientifique, pour ne pas toucher aux amphores élégantes, décorées de concrétions aux couleurs vives, bien qu'éphémères.

L'amphore devint à la mode. Lorsque avec le printemps les fleurs trop abondantes se vendent mal, le carnaval de Nice promenait sur ses chars de gigantesques amphores de fleurs. Chaque restaurant pour touristes, chaque boîte de nuit et bien des magasins chics arboraient l'amphore comme symbole d'une côte vivant du plaisir de la mer. Pour le plongeur elle était le trophée des vacances. L'amour de l'amphore s'étendait au public, un marché noir se développait, alimenté par des professionnels. L'amphore bien concrétionnée se vendait au début trente mille anciens francs à Marseille, cinquante mille à Cannes. Depuis les prix n'ont fait que monter.

Certains archéologues nous accusent d'avoir ouvert une boîte de Pandore en rendant le fond de la mer accessible à tous. Il est vrai que, dans le domaine de l'archéologie, la plongée s'est montrée un bien meilleur instrument pour le pillage que pour le travail scientifique.

La faute n'incombe pas uniquement aux plongeurs. Les océanographes, les biologistes, les géologues, ont rapidement compris le grand avantage de descendre soi-même, voir et agir sur ce fond qu'ils étudiaient depuis si longtemps d'en haut avec des instruments pendus à des ficelles. Les archéologues n'ont pas suivi et il faut probablement en chercher la raison dans la pauvreté où vit cette science. Pourtant les autres scientifiques bénéficiaient sur eux d'un avantage leur permettant d'envisager calmement le futur. L'objet de leur étude n'était pas susceptible de disparaître sous les mains des plongeurs, comme le font à un rythme sans cesse accéléré les vestiges antiques.

Le pillage qui sévit sur les sites archéologiques de la mer n'est qu'une phase nouvelle du grand pillage des souvenirs du passé. De tout temps, un commerce florissant s'est alimenté dans le sol. En Grèce, malgré la protection de lois sévères, bien des vases peints et quelques statues de marbre quittent clandestinement le pays chaque année. Les tombes étrusques sont éventrées la nuit par des gens peu superstitieux qui dérobent les statuettes de bronze et les vases noirs offerts aux morts. Les sépultures égyptiennes étaient déjà pillées au temps des Pharaons, malgré l'ingéniosité déployée pour les rendre secrètes et inaccessibles.

A ce point de vue, la mer diffère de la terre par l'obstacle qu'elle a opposé au pillage pendant des millénaires. Les cas de plongées célèbres, véhiculés dans tous les historiques de la pénétration de l'eau par l'homme, furent des cas isolés, douteux, sans conséquence. Même en admettant qu'Alexandre le Grand soit descendu sous la mer, il ne cherchait pas des amphores.

Sur notre côte, les points de mouillages deviennent indécelables, les épaves perdent en une saison leur couche supérieure, mal conservée et d'autant plus importante qu'elle peut receler des éléments que nous ne verrons pas ailleurs. Sur bien des épaves, les plongeurs sont arrivés au bois de la coque. Cependant, il existe une multitude d'épaves vierges le long de côtes où le pillage n'est pas encore pratiqué, c'est-à-dire sur presque tous les bords de la Méditerranée et de ses îles, en dehors de la France, l'Italie, l'Espagne et une partie de l'Afrique du Nord. Il y en a aussi beaucoup, loin des côtes, à l'abri des plongeurs.

Le plongeur désire l'amphore dans le nuage de vase soulevé par ses gestes. Ses mains chercheuses et tâtonnantes négligent tout autre contact. Une surveillance des épaves en cours de pillage aurait sauvé bien des objets significatifs. Je l'ai fait parfois pour des bouchons d'amphores, des cols marqués, des pierres à aiguiser, si nombreuses et diverses chez ces marins aux couteaux mous.

Risquant d'être dérangé par le gendarme, l'amateur ne peut creuser profondément le fond de la mer. Une surveillance sommaire pourrait interdire l'emploi de la suceuse ou de la lance à eau, matériel encombrant qui trouble une nappe d'eau trop visible. Le sol qui résiste aux mains des amateurs cache encore la partie délicate et passionnante de l'épave: le bateau.

L'archéologie est l'art de forcer à parler les objets, leurs débris et leurs traces, en confrontant leurs relations réciproques et générales. L'archéologue veut, à travers l'épave, remonter l'histoire du bateau, déceler les actes de ses matelots à des détails infimes que seul son long entraînement lui permettra de remarquer. Sa tâche est difficile. Pensons pour nous encourager que le préhistorien demande à des débris tombés, abandonnés, jetés, perdus dans les couches géologiques, les secrets des premières manifestations de l'intelligence naissante, dans ses activités physiques et culturelles. Pensons aussi que l'archéologue terrestre est de plus en plus voué à une besogne obscure, où les surprises sont rares, quand l'archéologue plongeur peut s'attendre chaque jour à des découvertes importantes ou spectaculaires.

Tous les plongeurs ramassent au fond de la mer. Beaucoup, animés de bonnes intentions, apportent leurs petits trésors aux archéologues, croyant avoir fait une bonne action, et s'étonnent des grimaces de ces savants.

Un jour, des fouilles systématiques seront faites par des archéologues capables de descendre et travailler sous l'eau. Alors, voyant des savants compétents à la tâche, les plongeurs comprendront l'importance historique de ces sites et apporteront d'eux-mêmes une meilleure contribution. La dure vie du plongeur est la même pour le pilleur et le scientifique, et je ne suis pas sûr qu'ils ne sont pas animés par la même passion: chercher, trouver. Si cette passion diffère par ses buts, ceux-ci ne sont pas inconciliables. Le scientifique n'attache plus une grande importance à la destination de l'objet étudié, au sortir du laboratoire: étagère de musée ou salon de collectionneur. Si beaucoup de plongeurs comprenaient le côté passionnant de l'enquête du scientifique, ils y verraient un attrait de plus à ce besoin de trouver qu'ils éprouvent, et rendraient de grands services en poursuivant leur plaisir.

Les plongeurs doivent comprendre que pêcher des objets antiques ne suffit pas à vous sacrer archéologue.

Si vous apportez chaque année vingt jas au musée, le stock de plomb constitué n'enrichira pas notablement la France, mais des possibilités d'étudier les méthodes de navigation et les voies de communication, par les mouillages, auront disparu.

Si un policier bien intentionné apportait dans un grand camion tout ce que contenait la pièce du crime au détective, il ne faudrait pas s'étonner de la fureur de celui-ci.

TOUR D'HORIZON

Le champ d'investigation de l'archéologue-plongeur s'étend aux fleuves et rivières, lacs et étangs, puits et fontaines qui, sous l'obstacle de leur eau douce, gardent les traces de notre passé.

Les embouchures des fleuves ont de tout temps été utilisées comme abris naturels et sont susceptibles de livrer le bric-à-brac de tous les fonds de ports, dont la liste serait fastidieuse. A l'étroit sur son bateau, le marin jette facilement.

Les fleuves, voies de communication depuis la plus haute antiquité, recèlent des épaves, comme la mer. Ils ont servi de dépotoir aux villes qu'ils traversent, et leur lit a reçu les décombres des monuments de leurs berges, car l'histoire de chaque ville est faite de destructions successives. Les plongeurs qui fouillent l'Hérault, à travers Agde, ont rempli un musée dont bien des villes seraient jalouses.

Le fond des lacs aux cités lacustres perfectionne notre connaissance de ces peuples des pilotis dont l'étude sur les berges a posé bien des problèmes.

Certains lacs d'Amérique du Sud, ses puits et ses fontaines, ont reçu les offrandes, les sacrifices des civilisations précolombiennes et, peut-être, leurs trésors précipités à l'approche de l'envahisseur. Ils ont déjà fourni des œuvres d'art et des objets usuels intacts.

Des villes, des villas, des temples, des ports ont été engloutis par des tremblements de terre, d'autres sont descendus insidieusement dans la mer. Les légendes des pays maritimes abondent en cités englouties dont on entend encore la cloche, où nous aimerions exercer nos talents de plongeurs à travers des rues livrées aux poissons, aux algues et aux éponges. Malheureusement, ces villes catastrophées se sont éboulées en un tas monotone et continu que la sédimentation rapide des côtes a recouvert d'un épais tapis de sable. Les villes animées d'une descente lente ont été progressivement débarrassées de tout ce qui n'était pas fondation.

Il y a bien des cités fameuses de l'Antiquité, notamment en Turquie, qui sont encore envahies par la brousse, et dont la fouille serait tellement plus facile que celle d'une ville immergée. Je traiterais volontiers celle-ci d'extension de l'archéologie terrestre.

Le long des côtes rocheuses de Grèce et de Turquie, des villes antiques, à l'aplomb de la mer, furent pillées, détruites à plusieurs reprises, et bien des objets d'art furent précipités du haut de leurs falaises. Par fond de roche, ils seront visibles, mais rongés, corrodés. Tombés sur le sable, ils seront couverts par une épaisse couche de sédiments et bien conservés.

A peine ébauchée, l'étude des ports antiques, relativement aisée, précisera le mécanisme et les modalités de ce facteur encore mal connu des activités maritimes.

L'étude des voies de communication et des façons de naviguer, par les objets jetés ou perdus le long des routes aquatiques, labeur à longue échéance, ne sera peut-être jamais entreprise systématiquement.

En me limitant à considérer de nombreuses ancres antiques perdues en des endroits qui n'offrent aucun abri contre le mauvais temps, j'ai pu me faire une idée de la façon dont les anciens naviguaient le long de nos côtes. Pendant les périodes de beau temps méditerranéen soufflent des brises légères, variables, irrégulières. En général, un petit vent paisible se lève à l'est le matin, tourne dans la journée en suivant le soleil avec un certain retard, et vient de l'ouest en fin d'après-midi. Les bateaux antiques ne pouvaient pas remonter ces brises et devaient s'arrêter pour attendre, quand elles poussaient dans le sens contraire à leur destination. Or, le long de la plupart des côtes rocheuses, la profondeur ne permet pas de mouiller suffisamment loin du rivage pour repartir à la voile sans danger. C'est pourquoi ces marins appréciaient les alentours des écueils, les prolongements des caps et les hauts-fonds isolés, où l'eau est peu profonde et l'espace suffisant pour manœuvrer en toutes circonstances.

Des sites d'un type nouveau seront découverts sous l'eau : zones de pêche marquées par les ancres de petites barques et les instruments de capture perdus, lieux d'offrandes à la mer, grottes préhistoriques maintenant immergées, champs de bataille où les galères blessées se sont englouties, où les armes sont tombées avec les morts pendant le combat, et bien d'autres sites encore insoupçonnés.

Voyant l'homme s'attaquer à l'espace avec des moyens techniques fantastiques, on aurait tendance à concevoir l'archéologie marine dans le cadre de la puissance actuelle. Malheureusement, la fouille marine coûte cher et l'archéologie reste pauvre. Le travail de l'archéologue, déjà long et minutieux sur terre, se complique dans l'eau où nos possibilités sont encore limitées et où les conditions idéales sont rarement atteintes, faute de moyens financiers. L'archéologue devra souvent se contenter de petites subventions, et je suis persuadé qu'il fera du bon travail. Il faut beaucoup d'argent pour une fouille importante, mais cela n'est pas indispensable pour un objectif limité, quand on a le temps devant soi.

La première phase des fouilles marines fut sous le signe de la récupération. Cette méthode barbare a d'ailleurs longtemps été celle de l'archéologie terrestre. On creusait des trous pour trouver des reliques. A la fin du siècle dernier, le général de division Pitt-Rivers inaugura de lui-même la méthode scientifique, perfectionnée ensuite vers 1920 par un autre Anglais, Sir Mortimer Wheeler's.

Les résultats surprenants des premières fouilles marines de plongeurs incompétents en archéologie ont ému les spécialistes. Ils apprennent à plonger et essaient d'appliquer intégralement les méthodes qui leur ont réussi sur terre. Ils vont avoir des révélations, des désillusions aussi, et il est difficile de prévoir le temps que durera cette deuxième phase. Au cours d'une troisième phase, les archéologues seront progressivement amenés à modifier leurs techniques pour les adapter à ce milieu si différent. Après avoir essayé de tout dessiner, ils feront appel à la photogrammétrie, après avoir essayé de tout disséquer, ils s'adresseront peut-être aux techniciens des grands travaux sous-marins, pour assécher ou monter de larges ensembles.

A mesure que les problèmes posés par l'eau se clarifieront, des instruments nouveaux aideront à les résoudre, entraînant de nouvelles conceptions des méthodes. Les archéologues utiliseront des appareils électroniques de plus en plus sensibles à des phénomènes de plus en plus divers, comme ils commencent à le faire sur terre. Beaucoup de ces appareils ne peuvent être utilisés que par le spécialiste qui les a conçus, et, dans la compétition de cette branche nouvelle, certains archéologues dissimuleront peut-être leur déception, leur insuccès. Il faudra alors plus de temps pour trier, à travers des rapports trop optimistes, la vérité sur ces moyens nouveaux. Mais l'archéologie marine ne peut être une faillite, trop d'éléments inconnus des relations économiques et culturelles du passé nous attendent sous la mer.

Sur le plan pratique, l'archéologie marine est directement liée aux progrès des techniques de la plongée.

L'air est composé d'environ 80% d'azote et 20% d'oxygène. Le plongeur respire l'air sous pression et se heurte à deux écueils physiologiques particulièrement importants: la dissolution de l'azote dans le corps sous l'action de la pression et son effet narcotique aux grandes profondeurs.

En plongée, l'azote de l'air se dissout, au niveau du poumon, dans le sang qui le véhicule et l'emmagasine dans tout le corps. Si, après un long séjour à une profondeur importante, le plongeur remonte rapidement en surface, l'azote se libère sous forme de bulles dans son sang ou même dans les autres tissus de son corps. Le gaz forme dans les vaisseaux des chapelets de bulles cylindriques qui les obstruent et provoquent des asphyxies tissulaires. Ces accidents vont de la douleur locale à la paralysie et même la mort.

Pour laisser à l'azote le temps de s'éliminer par les poumons, comme il est entré, le plongeur doit remonter de plus en plus lentement. Cette façon idéale de remonter est difficilement praticable et contrôlable. Dans la pratique, le plongeur s'arrête à des paliers au voisinage de la surface, qui commencent d'autant plus bas et sont d'autant plus longs que la profondeur et la durée de la plongée sont plus importantes.

Les paliers deviennent fastidieux pour les longues plongées profondes et font que celles-ci ne sont pas rentables.

La dissolution de l'azote met environ douze heures pour saturer le corps. Au-delà de ce temps, le plongeur peut demeurer au fond sans aggraver son cas car la quantité d'azote dissous n'augmente plus. Evidemment la durée de la remontée sera assez longue, mais elle sera théoriquement la même quel que soit le temps de séjour.

Partant de ce principe, on a installé des maisons sous la mer, où l'atmosphère est à la pression de l'eau et d'où les plongeurs peuvent sortir quand ils le désirent. Ils peuvent même descendre travailler à une profondeur de 30% supérieure à celle où ils vivent, et regagner la maison sans précaution. Lorsque leur tâche est terminée, ils reviennent en surface dans la maison que l'on remonte et y font leur décompression dans des conditions confortables.

L'homme ne peut pas vivre longtemps dans l'air comprimé et son cerveau y est très handicapé. Le cerveau commence à s'engourdir bien avant quarante mètres et devient à peine utilisable au-delà. On a attribué ce phénomène à la densité de l'air, ce qui a amené à alléger l'air respiré par le plongeur et celui des maisons sous la mer en le diluant avec d'autant plus d'hélium que la profondeur est plus grande. Cet apport de gaz léger rend l'atmosphère viable et supprime l'engourdissement du cerveau, pour des raisons que l'on ne comprend pas encore à fond. D'autre part, l'oxygène devient toxique au-delà d'une certaine valeur de la pression partielle à laquelle nous le respirons normalement. Il produit alors des troubles très graves. A mesure que la profondeur augmente, il faut donc diminuer le pourcentage d'oxygène du mélange gazeux introduit dans le scaphandre ou la maison, de manière que la quantité d'oxygène y reste à peu près la même qu'à la pression atmosphérique. Quand la maison est très profonde, son atmosphère n'est plus composée que d'hélium, avec un très faible pourcentage d'oxygène.

Cet aspect théorique de la question est très sommaire. La réalisation des expériences a posé une quantité de problèmes fondamentaux ou annexes, longs et difficiles à résoudre.

J'ai assisté d'en haut, voilà quelque temps, à une magnifique expérience faite par Cousteau, au cours de laquelle six hommes ont vécu confortablement vingt-six jours, dix heures cinquante minutes à la pression de onze kilos par centimètre carré, dont vingt jours, seize heures, quarante minutes à cent mètres sous la mer. Les résultats permirent les plus grands espoirs dans ce domaine dont nous ne connaissons pas encore les limites.

Je voyais mes camarades océanautes sur l'écran de

télévision qui les reliait à la base installée au phare du cap Ferrat, avec un grand luxe d'autres moyens de communications et de contrôles. Le respect que j'éprouvais pour leur courage et mon admiration pour cette réalisation grandiose me faisaient presque oublier leurs voix nasillardes, auprès desquelles Donald le canard eût passé pour un maître de l'éloquence. Quelques rares oreilles, exceptionnellement douées, prétendaient s'être spécialisées dans la traduction de ce langage d'un autre monde, dont je ne comprenais pas le moindre mot. Cousteau téléphonait à son fils prisonnier de la maison et butait sur un grognement prononcé par Philippe devant la caméra de télévision avec des grimaces de plus en plus accentuées. Découragé, Philippe écrivit CASSÉ sur une pancarte, il s'agissait du film de sa caméra. Il entendait son père normalement. Cet effet de l'hélium est l'un de ces petits problèmes irritants que l'on finira bien par résoudre, après tant d'autres.

La maison sous la mer serait une formule idéale pour une fouille, en permettant le travail constant de spécialistes indispensables sur le fond. Pourtant, je ne voudrais pas que les archéologues se fassent des illusions. Une maison sous la mer et son exploitation sont extrêmement coûteuses, seule l'industrie du pétrole dispose, pour le moment, de capitaux suffisants pour en envisager l'utilisation intensive.

Plusieurs branches de la science sont vivement intéressées par les possibilités nouvelles offertes par la maison sous la mer et il faut souhaiter qu'un groupement de scientifiques, dont feraient partie les archéologues, en assume la charge.

L'avenir de l'archéologie marine est également lié aux progrès des moyens d'exploration de la mer.

Les méthodes par plongeurs, maintenant classiques, employées par les marines de guerre pour chercher les mines, conçues pour opérer dans les eaux sans visibilité, nécessitent beaucoup de personnel et de temps, et ne sont applicables à l'archéologie que dans quelques cas spéciaux.

Les pêcheurs professionnels et les scaphandriers qui ramassent les éponges ont accumulé de père en fils une grande connaissance du fond de la mer. Ils peuvent fournir des informations précieuses pour l'archéologue, mais les vérifier par exploration de plongeurs est une tâche de longue haleine.

Une formule nouvelle, basée sur un principe déjà vieux, est en train de se développer. De petits sous-marins d'exploration, à une ou plusieurs places, apparaissent un peu partout. D'après les réclames américaines, on peut se les procurer dans tout grand drugstore.

Il y a eu quelques accidents, dont la mort de notre camarade Boissy. Il faut voir là les tâtonnements d'une technique pour laquelle il était difficile d'extrapoler du sous-marin normal au modèle réduit. La formule me paraît excellente et je crois en son avenir.

Installé confortablement au chaud, les idées claires, l'archéologue explorera les points névralgiques des mers. Il disposera d'un magnétophone pour ses notes, d'une batterie d'appareils photographiques et de caméras pour enregistrer ce qu'il voit. Lorsque ces sous-marins seront facilement dotés de moyens de navigation très précis, le pilote fera des relevés topographiques avec beaucoup plus de rendement qu'un plongeur. Il utilisera la photographie stéréoscopique, qui permet une reproduction exacte du sol par un procédé employé chez les aviateurs. Il aura des sondeurs spéciaux donnant une image des diverses couches du fond et des obstacles cachés, naturels ou artificiels.

Les moyens humains de perception sont très diminués sous l'eau, la vue, en particulier, ne porte souvent qu'à quelques mètres. Parallèlement à ces véhicules suppléant à la faiblesse de notre propulsion aquatique naturelle, se développe toute une gamme d'appareils électroniques, sondeurs et détecteurs. Beaucoup de ces instruments sont trop encombrants pour être adaptés sans restrictions à l'utilisation par plongeur. Ils peuvent, par contre, être utilisés à bord des petits sous-marins.

La maison sous la mer ne peut se déplacer d'elle-même,

le sous-marin ne peut agir sur le fond. Certains sont munis de bras articulés, mais il est difficile de placer l'engin devant son but avec la précision nécessaire à une intervention efficace. Les deux techniques sont sur le point de fusionner. On s'attaque à la création d'un sous-marin dont un compartiment sera une maison sous la mer. L'équipage vivra à la pression atmosphérique. Les plongeurs, pour une courte intervention, sortiront, puis feront leur décompression dans la maison. Pour un travail de plusieurs jours, ils vivront à la pression de l'eau, entrant et sortant selon les besoins et, si leur tâche le nécessite, le sous-marin se déplacera aussitôt légèrement, ou à grande distance. Cette nouvelle technique devrait donner à l'homme la maîtrise du fond des mers.

Dans le domaine de la plongée et de l'exploration sous-marine, l'ère du bricolage et de l'exploit individuel est terminée. Les moyens puissants de l'industrie, appuyés par la recherche scientifique, se sont déclenchés pour la conquête du monde sous-marin.

Si mes camarades de la *Calypso* poussent le courage jusqu'à cette dernière phrase, un peu ampoulée, ils feront le geste de jouer du violon. Et pourtant ils y croient.

BIBLIOGRAPHIE

On trouvera une excellente bibliographie, qu'il me paraît inutile de reproduire ici, dans: *Marine Archaeology*, by Joan du Platt TAYLOR, Hutchinson of London, 1965.

Les nombreuses publications de Fernand BENOIT et de Nino LAMBOGLIA constituent le principal dossier de l'archéologie marine.

Le *Rapport du premier congrès international d'archéologie sous-marine*, Club alpin sous-marin, Cannes, 1955, et les *Actes du IIe congrès international d'archéologie sous-marine*, Institut International d'Etudes Ligures, musée Bicknell, Bordighera, 1961, sont deux ouvrages très utiles, qui fourmillent d'idées et de faits.

L'ouvrage de base pour l'étude des bateaux antiques reste le beau livre d'UCELLI, *Le Navi Di Nemi*, Libreria dello stato, Roma, 1950.

L'un des meilleurs ouvrages sur la connaissance des bateaux antiques par les textes et l'iconographie est: *Ancient Ships*, by Cecil TORR, Cambridge University Press, 1894.

Pour la coutume de la monnaie votive sous le mât, voir: Peter R. V. MARSDEN, *The Blackfriars Ship* et *The Luck Coin in Ships*, The Mariner's Mirror, 1965, vol. 51, nº 1, pp. 33 et 59.

Georges F. BASS a publié: *Archaeology under water*, Glyn Daniel, Thames and Hudson, London, où il fait un excellent exposé analytique des travaux archéologiques accomplis sous l'eau et des méthodes utilisées.

Enfin j'ajouterai: *History under the Sea*, Alexander McKEE, Hutchinson of London, 1968, ouvrage journalistique, cependant l'auteur a recueilli beaucoup de renseignements.

LEXIQUE

ACCORE : On dit qu'une côte est accore quand elle descend verticalement dans une eau profonde. On appelle accore, le bord d'un récif ou d'un banc.

AUSSIÈRE : Gros cordage employé pour l'amarrage des navires ou les manœuvres de force.

BORDÉ : Ensemble des planches constituant l'enveloppe extérieure d'un bateau.

BOSCO : Maître d'équipage dans la marine marchande. Le bosco est chargé du matériel de gréement et de son utilisation.

CARRÉ : Pièce commune servant de salle à manger.

CHOQUER : Diminuer la raideur d'un cordage tendu, en le laissant un peu filer.

CONTRE-QUILLE : Egalement appelée carlingue. Pièce de bois placée sur les couples, au-dessus de la quille, et s'étendant d'un bout à l'autre du bateau.

COUPLE : Ensemble de deux membrures symétriques par rapport à la quille, montant jusqu'au plat-bord.

ELINGUE : Bout de cordage ou de câble dont on entoure les objets lourds, et qui sert de point d'amarrage pour les soulever.

EMBOSSER : Tenir un bateau dans une direction déterminée, malgré le vent et le courant, à l'aide de plusieurs ancres.

EMBRAQUER : Tirer sur un cordage pour le raidir.

EMPLANTURE : Lit de bois composé d'une ou plusieurs pièces, sur lequel repose le pied du mât.

ETAMBOT : Pièce de bois qui s'élève sur l'arrière de la quille et correspond à l'étrave, située à l'avant.

GABIER : Matelot s'occupant des voiles, du gréement, et de leur manœuvre.

GALBORD : Planche du bordé la plus basse, qui est reliée à la quille.

GÎTER : On dit qu'un bateau gîte lorsqu'il a une inclinaison, sous l'influence du vent, d'un chargement inégal ou d'une cause accidentelle.

GLÈNE : Rouleau de cordage.

GORGONE : Colonie de polypiers formant un ensemble ramifié et souple, ressemblant à une plante. Il y a en Méditerranée des gorgones blanches, jaunes et rouges. Les gorgones rouges, que le plongeur voit bleues, décorent les falaises sous-marines profondes.

GUINDEAU : Petit treuil horizontal.

GUEUSE : Lingot de fer ou de fonte utilisé comme lest.

MANILLE : Etrier de métal, fermé par un boulon et servant à réunir des câbles ou des chaînes, ou encore à fixer ceux-ci sur un objet portant un œilleton.

ORIN : Cordage ou câble fixé sur un objet immergé et portant à l'autre extrémité une bouée qui le maintient vertical.

PALANGRE : Grosse ligne de fond sur laquelle sont fixés des bouts de ligne plus petits portant chacun un hameçon.

PAVOIS : Partie de la coque au-dessus du pont et bordant celui-ci.

PLAT-BORD : Bordage épais qui termine le pourtour d'un bateau.

POSIDONIES : Plantes marines de la famille des phanérogames, à fleurs et à fruits. Elles comportent une tige souterraine avec réseau de racines et un faisceau de feuilles en forme de ruban, atteignant la longueur de quatre-vingts centimètres. Ces feuilles tombent chaque année et s'accumulent dans les déclivités sous-marines et sur les rivages. Les posidonies couvrent de vastes surfaces des fonds méditerranéens compris entre le rivage et la profondeur de quarante mètres.

SERRE : Pièce de bois longitudinale, de renfort, placée sur les membrures, à l'intérieur de la coque.

TARET : Mollusque responsable des trous du bois flotté trouvé sur les plages, des dégâts aux pieux des digues et aux coques des bateaux. Il perfore le bois avec sa petite coquille placée en tête, à une vitesse pouvant atteindre dix centimètres par mois. Le corps, long de cinquante centimètres au maximum, est protégé par une couche de calcaire blanche, sécrétée par la peau et tapissant la galerie. Les petites larves des tarets pullulent dans les mers, cherchant une victime. Ces animaux avaient déjà leur mauvaise réputation dans l'Antiquité.

VAIGRAGE : Planches revêtant les membrures à l'intérieur du bateau. Elles transforment leurs reliefs en une paroi et un plancher lisses, qui protègent membrures et bordé.

VARANGUE : Partie centrale d'un couple, à cheval sur la quille et symétrique par rapport à l'axe du bateau. Elle renforce la partie axiale de la coque. La varangue a la forme d'un triangle isocèle, plus ou moins aigu suivant l'angle de la coque.

TABLE DES MATIÈRES

Cet ouvrage
composé en Garamond de corps 9
a été réalisé par
les Editions Famot à Genève
d'après une maquette originale.
Il a été tiré
sur papier bouffant de luxe.